10
GRUDNIA

W serii ukazały się w ostatnich latach:

Gabriela Adameşteanu *Stracony poranek*
David Albahari *Ludwig*
Gerbrand Bakker *Na górze cisza*
Peter Buwalda *Bonita Avenue*
Italo Calvino *Jeśli zimową nocą podróżny* · *Marcovaldo* · *Niewidzialne miasta*
Javier Cercas *Prędkość światła*
Sigrid Combüchen *Skrawki*
Jean-Paul Didierlaurent *Lektor z pociągu 6.27*
Jurij Drużnikow *Pierwszy dzień reszty życia*
Jenny Erpenbeck *Klucz do ogrodu*
Michel Faber *Księga Dziwnych Nowych Rzeczy*
Jonas Gardell *Nigdy nie ocieraj łez bez rękawiczek*
Laurent Gaudé *Huragan*
Hubert Haddad *Teoria niegrzecznej dziewczynki*
Paul Harding *Majsterka* · *Enon*
Emma Hooper *Etta, Otto, Russell i James*
Michel Houellebecq *Mapa i terytorium* · *Uległość*
Petra Hůlová *Stacja Tajga*
James Joyce *Hotel Finna*
Hiromi Kawakami *Pan Nakano i kobiety* · *Sensei i miłość*
Tommi Kinnunen *Cztery Drogi*
László Krasznahorkai *Wojna i wojna*
Jean-Marie Gustave Le Clézio *Mondo i inne historie* · *Rewolucje* · *Wojna*
Kim Leine *Prorocy znad Fiordu Wieczności*
Valeria Luiselli *Nieważcy*
Tom McCarthy *Resztki*
Erwin Mortier *Pieśni bełkotu*
Ottessa Moshfegh *Byłam Eileen*
Alice Munro *Dziewczęta i kobiety* · *Jawne tajemnice* · *Miłość dobrej kobiety* · *Za kogo ty się uważasz?*
Péter Nádas *Miłość*
Cees Nooteboom *Utracony raj*
Sara Nović *Dziecko wojny*
J.C. Oates *Czy zawsze będziesz mnie kochać? I inne opowiadania* · *Ofiara* · *Tatulo* · *Walet Pik*
Ruth Ozeki *W poszukiwaniu istoty czasu*
Georges Perec *O sztuce oraz sposobach usidlenia kierownika działu w celu upomnienia się o podwyżkę*
Per Petterson *Na Syberię* · *Nie zgadzam się*
Wiktor Pielewin *Napój ananasowy dla pięknej damy* · *T*
Evelio Rosero *Między frontami*
Ralf Rothmann *Umrzeć na wiosnę*
George Saunders *Dziesiąty grudnia*
W.G. Sebald *Campo Santo* · *Czuję. Zawrót głowy*
Zeruya Shalev *Co nam zostało* · *Ból*
Władimir Sorokin *Cukrowy Kreml*
György Spiró *Iksowie* · *Niewola*
Jón Kalman Stefánsson *Niebo i piekło* · *Smutek aniołów*
Jeet Thayil *Narkopolis*
Linn Ullmann *We mgle*
Juan Gabriel Vasquez *Reputacje*
Enrique Vila-Matas *Dublineska*
David Foster Wallace *Krótkie wywiady z paskudnymi ludźmi* · *Rzekoma fajna rzecz, której nigdy więcej nie zrobię*
Danny Wattin *Skarb pana Isakowitza*
Mo Yan *Bum!* · *Klan czerwonego sorga* · *Zmiany* · *Żaby*
Oksana Zabużko *Muzeum porzuconych sekretów*
Juli Zeh *Corpus delicti*
Tomáš Zmeškal *List miłosny pismem klinowym*

GEORGE SAUNDERS

10 GRUDNIA

OPOWIADANIA

przełożył Michał Kłobukowski

Tytuł oryginału: *Tenth of December. Stories*

Wydanie I
Warszawa, MMXVI

Patowi Pacino

Spis rzeczy

Zwycięska runda 9
Patyki 41
Szczeniak 45
Ucieczka z Pajęczej Głowy 63
Napomnienie 107
Al Roosten 117
Dziewczęta Sempliki (dziennik) 141
W domu 213
Moje rycerskie fiasko 253
Dziesiąty grudnia 271

Zwycięska runda

Trzy dni przed swoimi piętnastymi urodzinami Alison Pope przystanęła u szczytu schodów.

Powiedzmy, że schody były marmurowe. Powiedzmy, że zeszła po nich i wszystkie głowy zwróciły się ku niej. Gdzie był {wyjątkowy}? Podszedł i z lekkim ukłonem zawołał:

Jakim cudem aż tyle wdzięku mieści się w jednej małej cipce?

Oj. Powiedział „w małej cipce"? I stał sobie, jakby nigdy nic? Z tą swoją szeroką, książęcą twarzą bez odrobiny wyrazu? Biedaczysko! Przykro mi, nic z tego, skreśliła go, stanowczo nie był taki znowu {wyjątkowy}.

No a ten drugi, co stał zaraz za tym od małej cipki, przy sprzęcie grającym? Miał gruby kark poczciwego wieśniaka, ale usta delikatne, obfite, i szepnął, położywszy dłoń na jej krzyżu:

Strasznie mi przykro, że musiałaś ścierpieć ten tekst o małej cipce. Chodźmy stanąć na księżycu. A raczej w księżycu. W jego blasku.

Powiedział „chodźmy stanąć na księżycu"? Bo jeżeli tak, to powinna była wykonać coś na kształt {brwi w górę}. A gdyby nie doczekała się żadnego cierpkiego dementi, musiałaby zareagować w stylu „hmm, jestem niezbyt odpowiednio ubrana do tego, żeby stać na księżycu, bo o ile wiem, straszliwie tam zimno?".

Dajcie wreszcie spokój, nie mogła przecież bez końca sobie wyobrażać, że z wdziękiem drepcze w miejscu na tych marmurowych schodach! W pewnej kochanej siwowłosej głowie pod tiarą rodziło się coś na kształt pytania: Czemu ci wszyscy rzekomi książęta każą tej uroczej pannie *ad nausea* maszerować bez posuwania się naprzód? A w dodatku miała tego wieczoru występ, więc musiała pójść do suszarki po trykot.

Kurczę! Wciąż jednak sterczało się na najwyższym stopniu.

Był na to sposób: twarzą ku szczytowi schodów, z dłonią na poręczy, zeskocz tyłem po jednym schodku naraz, co ostatnio stawało się coraz trudniejsze, no bo komuś z każdym dniem wydłużały się stopy, tak jakby.

Pas de chat, pas de chat.

Changement, changement.

Hycnij przez to wąskie metalowe coś, co odgradza terakotę w holu od dywanu w salonie.

Dygnij samej sobie w lustrze przy drzwiach wejściowych.

Prędzej, mamo, chodź tu wreszcie. Po co pani Callow ma nas znowu kastratofalnie złajać za kulisami.

Chociaż właściwie uwielbiała panią C. Taką wymagającą! I wszystkie dziewczęta z klasy. I z całej szkoły. Uwielbiała je. Były przemiłe. I chłopców ze szkoły też. No i nauczycieli. Wszyscy starali się, jak mogli. Właściwie uwielbiała całe miasto. Uroczego sklepikarza, co spryskiwał wodą sałatę! I pastorkę Carol o rozłożystym, wygodnym siedzeniu! I pulchnego listonosza, który wymachiwał pękatymi kopertami! Miasto dawniej było włókniarskie. Można ześwirować, nie? Co w ogóle znaczy „włókniarski"?

Swój dom też uwielbiała. Po drugiej stronie strumyka stała cerkiew. Taka etniczna! Cebulasta kopuła wznosiła się za oknem, nim Alison wyrosła ze śpioszków. Uwielbiała także Gladsong Drive. Każdy dom przy tej ulicy był miniaturą Corona del Mar. Niesamowite! Jak ktoś miał znajomego na Gladsong, to z góry wiedział, co gdzie leży i stoi u niego (albo u niej) w domu.

Jeté, jeté, rond de jambe.

Pas de bourrée.

Pod wpływem radosnego kaprysu fiknij kozła w przód, stań na równe nogi i pocałuj fotografię Rodziców, zrobioną w sklepie Penneys przed wiekami, kiedy byłaś tym oto słodkim maleństwem {cmok} z kokardą we włosach, większą niż świat cały.

W chwilach takiego szczęścia wyobrażała sobie czasem jelonka drżącego w lesie.

Gdzie twoja mamusia, maluszku?

Nie wiem – odpowiadał jelonek, a głosik miał całkiem jak Becca, młodsza siostrzyczka Heather.

Boisz się? – pytała. – Jesteś głodny? Wziąć cię na ręce?

Weź – odpowiadał jelonek.

I wtedy nadchodził łowca, wlokąc za rogi jego matkę z kompletnie rozpłatanym bebechem. Jejku, to dopiero był widok! Zasłaniała maluszkowi oczy i mówiła coś w rodzaju: Nie miałeś nic lepszego do roboty, okropny łowco, niż zabić matkę tego malca? Przecież wyglądasz na dość sympatycznego faceta.

Moją mamusię zabito? – pytał malec, a głos miał całkiem jak Becca.

Nie, nie – odpowiadała. – Ten pan już wychodzi.

Zniewolony jej urodą łowca obnażał czy też obracał głowę i mówił, przyklęknąwszy na jedno kolano:

Gdybym mógł na powrót tchnąć życie w tę oto łanię, uczyniłbym to w nadziei, że raczysz pani złożyć na mym niemłodym czole jeden tkliwy pocałunek.

Idź – odpowiadała. – Idź, a za pokutę nie zjedz łani, lecz połóż ją na łące wśród koniczyny i rozrzuć wokół niej róże. I najmij chór, żeby cicho opiewał jej marny kres.

Kogo ma położyć? – pytał jelonek.

Nikogo – uspokajała go. – Mniejsza o to. Nie bądź taki ciekawski.

Pas de chat, pas de chat.

Changement, changement.

Miała nadzieję, że {wyjątkowy} okrzyknie ją z dala. Miejscowi chłopcy odznaczali się pewnym *je ne sais quoi*, za którym, prawdę mówiąc, wcale tak znów *très* nie przepadała: na przykład nazywali po imieniu swoje jaja. Podsłuchała na własne uszy! I mieli ten ambitny zamiar, żeby znaleźć pracę w okręgowej elektrowni, bo dawano tam za friko odjazdowe koszule robocze.

Czyli szlaban na miejscowych chłopców. A zwłaszcza na Matta Dreya, posiadacza największych ust w całym kraju. Kiedy poprzedniego wieczoru pocałował ją podczas przedmeczowego spędu, poczuła się, jakby całowała tunel pod wiaduktem. Zgroza! Pocałunek Matta to było coś takiego, jakby nagle naparło na człowieka jakieś krówsko w swetrze, nie chcąc słyszeć o odmowie, a jego olbrzymi łeb tonął w substancjach tłumiących nawet i tę odrobinę rozumu, która przypadła Mattowi w udziale.

A ona lubiła panować nad sobą. Nad własnym ciałem i umysłem. Nad myślami, karierą, przyszłością.

To właśnie lubiła.

Niech tak będzie.

Można by coś przekąsić.

Un petit repas.

Czy była wyjątkowa? Uważała się za wyjątek? O rany, sama nie wiedziała. W dziejach świata pojawiło się sporo osób bardziej wyjątkowych. Na przykład Helen Keller była zupełnie niesamowita. A Matka Teresa wręcz zdumiewająca. Pani Roosevelt była dość dziarska mimo kalekiego męża, a w dodatku lesbijka z wielkimi zębami, i to na długo przedtem, zanim komukolwiek wpadło do głowy, że Pierwsza Dama może być lesbijką. Alison nie miała startu w tej lidze. A przynajmniej jeszcze nie.

Nie umiała tylu rzeczy! Na przykład wymieniać oleju. Czy choćby sprawdzać jego poziomu. Podnosić maski. Piec czekoladowego ciasta. Trochę to było żenujące u dziewczyny. A co to takiego „hipoteka"? Coś z wyposażenia domu? I czy przy karmieniu piersią trzeba wyciskać mleko palcami?

Kurczę. Cóż to za mizerak truchtał po Gladsong Drive, widoczny przez okno salonu? Kyle Boot, najbledszy chłopak w kraju? Wciąż w tych swoich dziwacznych łachach do biegów przełajowych?

Biedak. Wyglądał jak kościotrup z fryzurą czeskiego piłkarza. A te jego szorty do biegania pochodziły z czasów *Aniołków Charliego* czy *quoi*? Jakim cudem tak wspaniale biegał, skoro prawie wcale nie miał mięśni? Codziennie tak zasuwał do domu, bez koszuli, ale za to z plecakiem, i kiedy mijał dom Fungów, pstrykał pilotem i wparowywał równym krokiem do swojego garażu.

Trudno było nie podziwiać tego biednego matołka. Wychowali się razem, baraszkując we wspólnej piaskownicy nad strumykiem. Czy nie kąpali się we dwoje, kiedy byli tyci, tyci? Alison miała nadzieję, że ta ani inne bzdury nigdy nie wyjdą na jaw. Bo towarzysko Kyle wart był mniej więcej tyle ile Feddy Slavko, który chodził przechylony do tyłu i wiecznie dłubał w zębach, a kiedy już coś spomiędzy nich wydobył, oznajmiał, jak się to znalezisko nazywa po grecku, i je zjadał. Rodzice krótko trzymali Kyle'a. Musiał dzwonić do domu, jeżeli było ryzyko, że w filmie na lekcji o kulturach świata pokażą gołe cycki. W jego pudełku z drugim śniadaniem wszystko miało czytelne etykietki.

Pas de bourrée.

I dyg.

Sypnij trochę serowych chipsów do staroświeckiego ustrojstwa Tupperware z przegródkami.

Dzięki, mamo, dzięki, tato. Mam u was superwyżerkę.

Potrząśnij ustrojstwem jak miską do płukania złota i poczęstuj chipsami wyimaginowanych ubogich, którzy niby to cię otaczają.

Smacznego. Czym jeszcze mogę służyć, kochani?

Okazałaś nam zbytek łaski choćby przez to, że raczyłaś się do nas odezwać, Alison.

Skądże znowu! Nie rozumiecie, że wszyscy ludzie są godni szacunku? Każdy jest tęczą.

Eee, powaga? Patrz, jakie mam ropiejące wrzodzisko na tym biednym zwiędłym boku.

Pozwól, że przyniosę wazelinę.

Byłbym bardzo wdzięczny. Strasznie boli.

A w ideę tęczy szczerze wierzyła. Ludzie byli zdumiewający. Mama była niesamowita i tata też, nauczyciele ciężko pracowali i jeszcze mieli własne dzieci, a niektórzy nawet się rozwodzili, tak jak pani Dees, ale zawsze potrafili znaleźć czas dla uczniów. Pani Dees najbardziej imponowała Alison tym, że chociaż mąż zdradzał ją z właścicielką kręgielni, nadal prowadziła najlepsze na świecie lekcje etyki, zastanawiając się na przykład, czy dobroć może zwyciężyć, czy też dobrzy ludzie zawsze zostaną wyrolowani, bo zło ma więcej brawury. Ta ostatnia hipoteza była chyba przytykiem pod adresem kręglarki. Ale serio: życie to frajda czy zgroza? Ludzie są dobrzy czy źli? No bo z jednej strony był ten filmik, w którym wychudzone, blade ciała rozjeżdżano walcem parowym na oczach tłustych Niemek, żujących gumę. A z drugiej niektórzy wieśniacy, nawet ci ze wzgórz, do późnej nocy napełniali worki piaskiem.

Pani Dees spojrzała z politowaniem na Alison, gdy ta podczas głosowania w klasie opowiedziała się za tym, że ludzie są dobrzy, a życie to frajda. Aby czynić dobro, wystarczy postanowić, że będzie się dobrym. Trzeba mieć odwagę. Czynnie bronić słusznej sprawy. Przy tym akurat stwierdzeniu pani Dees jakoś tak jęknęła. Nic dziwnego. Życie zadawało jej przecież wiele bólu, ale ciekawa historia: wciąż chyba widziała w nim coś fajnego, a w ludziach dobro, skoro czasem zasiadywała się do tak późna, oceniając pisemne prace, że nazajutrz przychodziła do szkoły na ostatnich nogach, w bluzce włożonej tył na przód, bo w porannym półmroku temu kochanemu, zakałapućkanemu biedactwu wszystko się myliło.

Ktoś zastukał do drzwi. I to do kuchennych. Cie-ka-we. Kto to mógł być? Ojciec Dmitrij z przeciwka? Kurier z UPS? Albo z FedEx? Przyniósł *un petit* czek *pour Papa*?

Jeté, jeté, rond de jambe.

Pas de bourrée.

Otworzyła, i oto…

Za drzwiami stał jakiś nieznajomy. Kawał chłopa w kamizelce inkasenta.

Miała taki odruch, żeby się cofnąć i zatrzasnąć drzwi. Ale to by było niegrzecznie, więc znieruchomiała, uśmiechnęła się i wykonała {brwi w górę} na znak „czym mogę służyć?".

Kyle Boot wbiegł przez garaż do mieszkalnej części domu, gdzie wskazówka wielkiego drewnianego niby-zegara nastawiona była na Nikogo Nie Ma. Były też inne możliwe wskazania: Rodziców Nie Ma, Mamy Nie Ma, Taty Nie Ma, Kyle'a Nie Ma, Mamy i Kyle'a Nie Ma, Taty i Kyle'a Nie Ma albo Wszyscy Są.

Po co komu w ogóle Wszyscy Są? Kiedy siedzieli całą rodziną w domu, musieli przecież wiedzieć, że nikogo nie brakuje? Czy Kyle miał ochotę poprosić o wyjaśnienie tatę? Który w swoim znakomitym, bezszelestnym warsztacie stolarskim na parterze domu zaprojektował i skonstruował Miernik Stanu Osobowego Rodziny?

Ha.

Ha, ha.

Na blacie kuchennej wyspy leżał Plan Robót.

> Zuchu: na tarasie nowa geoda. Ułóż na podwórzu według załączonego rysunku. Nie leń się. Najpierw wygrab teren i rozłóż folię, jak cię uczyłem. Potem umieść biały kamień. GEODA KOSZTOWNA. Proszę, potraktuj to serio. Ma być zrobione, nim wrócę. Zadanie = pięć (5) Punktów Pracusia.

O żeż, tato, czy to naprawdę sprawiedliwe, żebym do nocy harował na podwórku po forsownym przełaju, podczas którego zaliczyłem szesnaście biegów na czterysta czterdzieści metrów, osiem na osiemset osiemdziesiąt, półtora kilometra na czas, mul-tum sprintów Drake'a i osiem kilosów indiańskiej sztafety?

Buty z nóg, panie ładny.

Muka! Za późno. Stał już przy telewizorze. Zostawiwszy za sobą kompromitujący trop mikrogrudek.

Surowo *verboten*. Czy dałoby się te mikrogrudki ręcznie pozbierać? Kłopot, niestety: gdyby zawrócił, żeby ręcznie pozbierać mikrogrudki, zostawiłby za sobą nowy kompromitujący trop mikrogrudek.

Zdjął buty i stanął, oglądając we własnej głowie próbę przedstawienia, które zatytułował A GDYBY TAK... WŁAŚNIE TERAZ?

A GDYBY TAK wrócili do domu WŁAŚNIE TERAZ?

Głupia sprawa, tato! Wszedłem bez zastanowienia! I zaraz się kapnąłem, co zrobiłem! Ale wiesz, co mnie cieszy, kiedy o tym myślę? Chyba to, że tak szybko naprawiłem swój błąd! Bo wszedłem bez zastanowienia dlatego, że chciałem od razu wziąć się do pracy, tato, zgodnie z twoją pisemną instrukcją!

Pomknął w skarpetkach do garażu, rzucił buty na podłogę, pobiegł po odkurzacz, wciągnął nim mikrogrudki i nagle zdał sobie sprawę, że, rany koguta, wrzucił buty do garażu, zamiast przepisowo ustawić je na Obuwniczej Płachcie piętami w stronę drzwi, żeby łatwiej było z powrotem je wzuć.

Wszedł do garażu, postawił buty na Obuwniczej Płachcie i wrócił do części mieszkalnej.

Zuchu – powiedział tata w jego głowie – czy nikt ci dotąd nie mówił, że nawet w najschludniej posprzątanym garażu zawsze jest na podłodze trochę oleju, który teraz znalazł się na twoich skarpetkach, więc go rozdeptujesz po beżowym dywanie?

O żeż, miał przerąbane.

Ale nie – hura, dobre czasy, jak śpiewają Kool & the Gang – na dywanie zero plam.

Zdarł z nóg skarpetki. Chodzenie boso w głównej części mieszkalnej było absolutnie *verboten*. Gdyby Rodzice wrócili do domu i przyłapali go na tym, że łazi na bosaka jak jakaś biała hołota czy inny Tarzan, nie byliby ni chuja...

Przeklinasz w głowie? – spytał w jego głowie tata. Wystąp, Zuchu, bądź mężczyzną. Skoro chcesz przeklinać, rób to na głos.

Kiedy ja wcale nie chcę przeklinać na głos.

No to nie przeklinaj w głowie.

Rodzice byliby niepocieszeni, gdyby słyszeli, jak on czasem przeklina w głowie: sranapizda, gównobalas, fiut w ucho, dupia mleczarnia. Czemu nie mógł przestać? Mieli przecież o nim takie dobre zdanie! Co tydzień przechwalali się w mailach jednym i drugim dziadkom na przykład tak: Kyle jest niesłychanie zajęty, bo nie tylko dba o dobre stopnie, ale też regularnie bierze udział w uniwersyteckich biegach przełajowych, chociaż jest dopiero w drugiej klasie, i codziennie wygospodarowuje trochę czasu na wymyślanie takich perełek jak pizdolizus zadjebisty...

Czyżby miał jakiś feler? Czemu nie był wdzięczny Rodzicom za wszystko, co dla niego zrobili, zamiast...

Sramocić w pizducho.

Papierdolić blade szczątki szturchujem fiutkolana.

Zawsze można przerwać natłok myśli, mocno szczypiąc się w ledwie uchwytną fałdkę tłuszczu na biodrze.

Aj.

Ale zaraz, przecież był właśnie wtorek, Dzień Jublu. Pięć (5) nowych Punktów Pracusia za ułożenie geody zsumowane ze zdobytymi już dwoma (2) Punktami Pracusia dawało siedem (7) Punktów Pracusia, co razem z ośmioma (8) nagromadzonymi Punktami Za Codzienne Obowiązki tworzyło sumę piętnastu (15) Pysznych Punktów, która mogła mu zapewnić Wielki Przysmak (na przykład dwie garście rodzynków polanych jogurtem) plus dwadzieścia dowolnie wybranych minut przed telewizorem, chociaż konkretny program trzeba by jeszcze wynegocjować z tatą w chwili odbioru nagrody.

Jednego programu nigdy nie obejrzysz, Zuchu, a mianowicie *Najbardziej wyszczekanych żużlowców w Ameryce*.

No to nie, tato.

Naprawdę tak myślisz, Zuchu? „No to nie"? I dalej będziesz tak myślał, kiedy ci odbiorę wszystkie Pyszne Punkty i zakażę biegów przełajowych, jak już zresztą parę razy groziłem, że zrobię, jeżeli nie wykażesz się trochę bardziej radosnym posłuszeństwem?

Nie, nie, nie. Nie chcę przerywać treningów, tato. Błagam. Dobry ze mnie biegacz. Zobaczysz na pierwszym wyścigu. Nawet Matt Drey powiedział…

Kto to jest Matt Drey? Jakiś małpolud z drużyny futbolowej?

Tak.

I jego słowo jest święte?

Nie.

A co powiedział?

Ten srajdek nieźle śmiga.

Zgrabny styl, Zuchu. W sam raz dla małpoluda. W każdym razie może się okazać, że wcale nie wystartujesz w pierwszym wyścigu. Twoje ego wręcz występuje z brzegów. A czemu? Dlatego że umiesz truchtać? Każdy to umie. Nawet zwierzęta polne.

Nie przestanę biegać! Analchuj ptaksrak szwabodbyt! Proszę, błagam, tylko w bieganiu jestem niezły! Mamo, jeżeli on mi każe przerwać treningi, to przysięgam…

Z dramatyzowaniem ci nie do twarzy, Ukochany Jedynaku.

Jeżeli chcesz mieć zaszczyt rywalizować w sporcie drużynowym, Zuchu, najpierw nam pokaż, że umiesz się zmieścić w naszym jak najbardziej rozsądnym systemie zaleceń, ułożonym dla twojego dobra.

Oho.

Na parking przed Świętym Michaiłem zajechała furgonetka.

Kyle podszedł opanowanym, dystyngowanym krokiem do kuchennego blatu. Leżał tam Rejestr Ruchu Kołowego, którego prowadzenie powierzono właśnie jemu, a to w dwojakim celu: (1) aby uzasadnić twierdzenie taty, że Ojciec Dmitrij powinien wybudować dźwiękoszczelny mur, oraz (2) zgromadzić dane, na podstawie których Kyle mógłby opracować, a następnie przedstawić na Jarmarku Naukowym projekt, zatytułowany przez tatę *Natężenie hałasu dobiegającego z cerkiewnego parkingu, w zależności od dnia tygodnia, oraz uboczne studium hałasu niedzielnego w ciągu roku.*

Mile się uśmiechając, jakby przyjemnie mu było wypełniać Rejestr, Kyle bardzo czytelnie wpisał w kolejne rubryki:

Pojazd: FURGONETKA.

Kolor: SZARY.

Marka: CHEVROLET.

Rocznik: NIEZNANY.

Z furgonetki wysiadł jakiś facet. Jeden z tych Rusków. „Rusek" to było słowo slangowe, ale dozwolone. Tak samo jak „choróbcia". Albo „rany koguta". I „klop". Rusek miał na sobie dżinsową kurtkę, a pod nią bluzę z kapturem. Kyle wiedział z doświadczenia, że Ruscy uważają taki strój za całkiem odpowiedni do kościoła, bo nieraz przychodzili prosto z warsztatu samochodowego, ubrani w kombinezony.

W rubryce „Kierowca pojazdu" napisał: PEWNIE PARAFIANIN.

Kiepska sprawa. Wręcz śmierdząca. Skoro facet był obcy, Kyle musiał siedzieć w domu, dopóki tamten nie odjedzie. Czyli szlag trafiał cały plan układania geody. Wyglądało na to, że będzie się z tym guzdrał do północy. Co za pech!

Nieznajomy włożył kamizelkę odblaskową. Znaczy, był inkasentem.

Inkasent spojrzał w lewo, w prawo, przeskoczył przez strumyk, wlazł na podwórko popa, przeszedł między siatką treningową do piłki nożnej a wkopanym w ziemię basenem, po czym zastukał do drzwi.

Niezły skok, Borys.

Drzwi raptownie się otworzyły.

Alison.

Kyle'owi serce śpiewało. Chociaż zawsze myślał, że to tylko takie powiedzonko. Alison była jak narodowy skarb. W słowniku przy haśle „piękno" powinno być jej zdjęcie w tej dżinsowej spódnicy. Chociaż ostatnio chyba za Kyle'em nie przepadała.

Wyszła na taras, żeby inkasent mógł jej coś pokazać. Na dachu popsuła się elektryka? Facet zachowywał się, jakby koniecznie chciał jej to pokazać. Nawet złapał ją za nadgarstek. I chyba ciągnął.

Dziwacznie to wyglądało. No nie? Ale w tych stronach nigdy nie wydarzyło się nic dziwacznego. Czyli chyba wszystko grało. Inkasent był pewnie nowy w tym fachu?

Kyle poczuł, że chce wyjść na taras. Wyszedł. Facet zdębiał. Alison miała oczy jak przerażony koń. Inkasent odchrząknął i lekko się obrócił, żeby coś Kyle'owi pokazać.

Nóż.

Inkasent miał nóż.

Rób, co ci każę – powiedział. – Stój, gdzie stoisz, dopóki nie odjedziemy. Tylko drgnij, zaraz ją dźgnę w serce. Jak Boga kocham. Jasne?

Kyle'owi tak zaschło w ustach, że zdołał tylko ułożyć je w kształt sylaby „tak".

A tamci już szli przez podwórko. Alison rzuciła się na ziemię. Facet postawił ją na nogi. A ona znowu padła. No to znów ją podciągnął. Dziwny był to widok, kiedy w bezpiecznym zaciszu nieskazitelnego podwórka, które dla niej urządził rodzony tata, nieznajomy szarpał ją jak szmacianą lalkę. Znowu rzuciła się na ziemię.

Facet coś do niej syknął, więc wstała, nagle spotulniawszy.

Kyle czuł w piersi, że właśnie łamie wiele Głównych i Pomniejszych zaleceń, bo nie dość, że stał boso na tarasie, w dodatku bez koszuli, to jeszcze był na dworze, kiedy w pobliżu kręcił się nieznajomy, i co gorsza, nawiązał z tym nieznajomym kontakt.

W zeszłym tygodniu Sean Ball przyniósł do szkoły perukę, żeby udatniej przedrzeźniać Bev Mirren, która w chwilach zdenerwowania przygryzała własne włosy. Kyle przez moment zastanawiał się, czy nie zainterweniować. Ale mama na Wieczornym Zebraniu orzekła, że jej zdaniem postąpił rozsądnie, wstrzymując się od interwencji. To nie była twoja sprawa – powiedział tata. Mogłeś ciężko oberwać. Pomyśl, ile w ciebie zainwestowaliśmy, Ukochany Jedynaku – dodała mama. Wiem, czasem wydajemy ci się surowi, ale jesteś dosłownie wszystkim, co mamy – powiedział tata.

Tamci dotarli tymczasem do siatki treningowej. Alison szła z ręką wykręconą do tyłu, raz po raz wydając niski dźwięk w tonacji przeczącej, jakby próbowała wynaleźć odgłos, który trafnie oddawałby jej uczucia na myśl o tym, co ją czekało, myśl właśnie przed chwilą wyklarowaną.

A Kyle był tylko chłopcem. Nic nie mógł zrobić. Czuł w piersi obfitą falę rozładowanego napięcia, jak zawsze gdy podporządkowywał się zaleceniu. U jego stóp leżała geoda. Powinien tylko na nią patrzeć, dopóki tamci nie odjadą. Była wspaniała. Nigdy chyba nie widział wspanialszej. Kryształki w miejscu przecięcia migotały w słońcu. Powinna ładnie wyglądać na podwórku. Kiedy Kyle ją tam położy. Miał zamiar to zrobić, gdy tamci odjadą. Tata byłby pod wrażeniem, że nawet po tym zajściu jego syn pamiętał o ułożeniu geody.

Tak trzymać, Zuchu.

Bardzośmy kontenci, Ukochany Jedynaku.

Świetna robota, Zuchu.

Kurdebalans. To się naprawdę działo. Szła potulnie, tak zdyscyplinowana, jak się po niej spodziewał. Myślał o niej od chrzcin tego, jak mu tam. Syna Siergieja. W rosyjskim kościele. Stała u siebie na podwórku, a jej tata czy ktoś taki ją fotografował.

A on wtedy: Siemasz, Betty.

A Kenny na to: Trochę za młoda, brachu.

Na co on: Może dla ciebie, dziadku.

Kiedy studiowało się historię, dzieje różnych kultur, człowiek stwierdzał, że jego własna epoka ma ciasne poglądy. Było przecież wiele rozmaitych teorii uległości. W czasach biblijnych król mógł jechać konno przez pole i nagle powiedzieć: Ta. I zaraz mu ją przyprowadzano. Odbywały się obyczajne zrękowiny i jeżeli potem rodziła syna, to super, niech rozwiną chorągwie, zostawała bezterminowo. A czy pierwszej nocy ją to rajcowało? Raczej nie. Czy drżała jak liść? Nieważne. Liczyło się potomstwo i trwałość rodu. No i królewskie uniesienie, źródło prawowitej mocy królewskiej.

Doszli do strumyka.

Przeprowadził ją przez wodę.

Matryca decyzyjna obejmowała jeszcze parę kluczowych punktów: doprowadzić do bocznych drzwi furgonetki, wepchnąć, wejść w ślad za, otaśmować nadgarstki/usta, przypiąć do łańcucha, wygłosić tekst. Wykuł go na blachę, powtarzając w pamięci i z magnetofonem: Nie bój nic, skarbie, wiem, że jesteś wystraszona, bo mnie jeszcze nie znasz i nie spodziewałaś się tego akurat dziś, ale daj mi szansę, a zobaczysz, jak pofruniemy. Widzisz, kładę tu nóż i raczej nie będzie mi potrzebny, prawda?

Gdyby nie chciała wsiąść do furgonetki, walnąć ją w bebech. Następnie podnieść, dotargać pod boczne drzwi, wrzucić do środka, otaśmować nadgarstki/usta, przypiąć do łańcucha, wygłosić tekst itd., itp.

Stop, stój – powiedział.

Dziewucha stanęła.

Krucafiut. Boczne drzwi furgonetki były zamknięte. Co za brak dyscypliny. Przecież w matrycy przedmisyjnej wyraźnie uwidoczniono sprawdzenie, czy są otwarte z klucza. Pojawił mu się w głowie Melvin z miną wyrażającą dotkliwe rozczarowanie, która zawsze poprzedzała manto na gołą dupę, po czym niezmiennie następowało tamto. Podnieś ręce – powiedział Melvin. – Broń się.

Racja, racja. Drobne potknięcie. Powinienem był dokładniej sprawdzić matrycę przedmisyjną.

Betka.

Radość, nie strach.

Melvin nie żył od piętnastu lat. Mama od dwunastu.

A ta kurewka odwróciła się twarzą z powrotem w stronę domu. Należało skończyć z tą krnąbrnością. Zdusić ją w zarodku. Trzeba będzie tej małej zdzirze zawczasu przyłożyć, żeby wyznaczyć punkt odniesienia.

Obróć się, do kurwy nędzy – powiedział.

Obróciła się.

Otworzył zamek kluczykiem, a potem drzwi na całą szerokość. Chwila próby. Jeżeli wsiądzie i da się otaśmować, będzie z górki. Miał upatrzone miejsce w Sackett – zajebiście wielkie pole kukurydzy, w które wjeżdżało się bitą drogą. Jeżeli względem dupczenia wszystko się uda, wjadą stamtąd na obwodnicę. Czyli właściwie ukradną furgonetkę. Własność Kenny'ego. Pożyczył ją na ten jeden dzień. Chuj z Kennym. Kenny wyzwał go raz od głupków. Pożałujesz, Kenny, przez to słówko właśnie straciłeś wóz. A jeżeli względem dupczenia pójdzie źle, bo ona go nie podnieci, jak należy, będzie musiał zaniechać działań, skrócić obiekt, wygruzić go z furgonetki, wymyć ją w środku w miarę potrzeby, pojechać kupić kukurydzę i oddać furgonetkę Kenny'emu, mówiąc: Patrz, brachu, jaki zajebisty wór kukurydzy, dzięki za brykę, swoim wozem w życiu nie dałbym rady przywieźć tyle, ile trzeba. A potem się przyczaić, śledząc, co piszą w gazetach, tak jak wtedy, kiedy nie podnieciła go ta ruda w...

Dziewucha błagalnie na niego spojrzała, jakby mówiła: Proszę, nie.

Czy to był odpowiedni moment? Żeby walnąć ją w bebech, aż dech jej zaprze?

Owszem.

No to walnął.

Geoda była piękna. Piękny okaz geody. Skąd brało się to piękno? Czym przede wszystkim odznacza się piękna geoda? No, pomyśl. No, skup się.

Ona z czasem dojdzie do siebie, Ukochany Jedynaku.

Nie nasz interes, Zuchu.

Zdumiewa nas twoja rozwaga, Ukochany Jedynaku.

Dotarło do niego jak przez mgłę, że Alison dostała pięścią. Usłyszał jej cichy jęk, nie odrywając wzroku od geody.

Zamarło w nim serce na myśl o tym, czemu nie próbował zapobiec. Zamiast monetami płacili sobie herbatnikami w kształcie złotych rybek. Budowali mosty z kamieni. Wtedy nad strumykiem. Dawno temu. O Boże. W ogóle nie powinien był wychodzić na taras. Kiedy tamci odjadą, po prostu wróci do domu i będzie udawał, że wcale nie wychodził, zacznie składać makietę miasteczka przy stacji kolejowej i nie przestanie, dopóki nie wrócą Rodzice. A jak mu ktoś w końcu powie, co się stało? Zrobi tę szczególną minę. Już teraz czuł, że ją robi, jakby pytał: Co? Alison? Zgwałcona? Zamordowana? O Boże. Zgwałcili ją i zamordowali, kiedy ja niewinnie budowałem kolejowe miasteczko, siedząc po turecku na podłodze, niczego nieświadom jak jakiś kajtek...

Nie. Nie, nie, nie. Oni zaraz pojadą i będzie mógł wejść do domu. Zadzwonić pod dziewięćset jedenaście. Ale w ten sposób wszyscy by się dowiedzieli, że nie kiwnął palcem. Byłby przegrany na resztę życia. Na zawsze pozostałby tym, kto palcem nie kiwnął. A zresztą telefon nic by nie dał. Tamci dawno zdążyliby odjechać. Zaraz za Featherstone była autostrada z mnóstwem arterii, rozjazdów i czego tam jeszcze. A zatem postanowione. Wejdzie do domu. Jak tylko tamci odjadą. Jedźcie, jedźcie, jedźcie – myślał – żebym mógł wejść do środka i zapomnieć, że to się w ogóle...

A potem nagle biegł. Przez trawnik. O Boże! Co on robił, co też najlepszego wyprawiał? Jezu, kurwa, ile naraz łamał zaleceń! Biegł przez podwórko, a to szkodzi darni; transportował geodę bez ochronnego opakowania; skakał przez płot, narażając go na szwank, chociaż ogrodzenie sporo kosztowało; wydalał się z podwórka; wydalał się z podwórka boso; wkraczał w Obszar Wtórny bez zezwolenia; boso wchodził do strumyka (potłuczone szkło, groźne drobnoustroje), a na domiar złego, o Boże, nagle zobaczył, co zamierza zrobić pod wpływem beztroskiej zachcianki: złamać zalecenie tak Główne i absolutne, że nie było właściwie zaleceniem, bo i bez żadnych zaleceń wiadomo, jak totalnie *verboten* jest...

Wyskoczył ze strumyka, a facet wciąż stał do niego tyłem, więc Kyle smyrgnął geodą prosto w jego głowę, aż wypełzła dziwnie wąska strużka krwi, jeszcze zanim czaszka wyraźnie się wgniotła, a koleś siadł na dupie.

Tak! Gol! Frajda! To dopiero frajda, wziąć górę nad dorosłym! Ale frajda – oszałamiająco, szybkonożnie jak gazela, bezszelestnie pokonać odległość, bijąc wszelkie rekordy w dziejach ludzkości, i uciemiężyć tego olbrzymiego fajtłapę, który w przeciwnym razie byłby właśnie teraz...

A gdyby nie pobiegł?

Boże, co by było, gdyby jednak nie pobiegł?

Wyobraził sobie, że facet zgina Alison wpół jak bezbarwny worek z pralni, ciągnie ją za włosy i brutalnie się w nią wbija, a on, Kyle, siedzi zastraszony i posłuszny, ściskając maleńki wiadukt kolejowy żałosną, dziecinną...

Jezu! Skoczył i cisnął geodą w przednią szybę, która z dźwiękiem tysięcy tycich dzwoneczków wietrznych z bambusa zapadła się do środka furgonetki deszczem szklanych sztyletów.

Kyle wdrapał się na maskę i wydobył geodę.

Tak? Tak? Chciałeś złamać jej życie i moje też, ty zezwierzęcony pizdoszturchu, fiutożuju, duporżniku? I kto tu teraz rządzi? Szramsrako, laksmordo, gównoszamie...

Jeszcze nigdy nie czuł w sobie takiej siły/gniewu/dzikości. Kto tu jest facet? Kto jest twój tatuś? Co jeszcze trzeba zrobić? Żeby ten Bydlak nie wyrządził już żadnej szkody? Jeszcze się ruszasz, pokrako? Coś planujesz, chujosmyrze? Chcesz jeszcze jedną dziurę w czaszce prócz tej, którą już masz, kowboju? Myślisz, że się nie odważę? Myślisz, że ja...

Wolnego, Zuchu, wychodzisz z siebie.

Przyhamuj, Ukochany Jedynaku.

Cisza. Sam sobą rządzę.

KURWA!

Co, do diabła? Czemu siedział na ziemi? Czyżby się potknął? Ktoś go trzepnął? A może gałąź spadła? Jasna cholera. Dotknął własnej głowy i spojrzał na dłoń: zakrwawiona.

Ten tyczkowaty chłopak właśnie się schylał. Żeby coś podnieść. Kamień. Dlaczego chudzielec nie stał na tarasie? Gdzie nóż?

A gdzie dziewucha?

Pełzła rakiem w stronę strumyka.

Przemknęła przez swoje podwórko.

Weszła do domu.

Kurwa, wszystko się popierdoliło. Pora się szpulać. Ale z czym, z własną urodą? Miał wszystkiego może z osiem dolców.

O Jezu! Gówniarz zbił przednią szybę! Kamulcem! Kenny'emu wcale się to nie spodoba.

Spróbował wstać, ale nie mógł. Krew lała się strumieniem. Nie miał zamiaru dać się znów zamknąć we więźniu. Za boga. Ciachnie się po nadgarstkach. Gdzie nóż? Dźgnie się w pierś. To będzie szlachetny gest. Ludzie poznają jego nazwisko. Kto z nich ma jaja, żeby się zharakirzyć nożem w klatę?

Nikt.

Ani jeden.

No dalej, mięczaku. Do roboty.

Nie. Król nie odbiera sobie życia. Człowiek wyższego lotu w milczeniu znosi bezmyślne połajanki motłochu. Czeka na okazję, żeby znów zerwać się do boju. A zresztą nie miał pojęcia, gdzie się podział nóż. Ba, poradzi sobie bez noża. Doczołga się do lasu i zabije jakieś stworzenie gołymi rękami. Albo uwije wnyki z trawy. Błłł. Czyżby miał puścić pawia? Owszem, puścił. Akurat na własny rozporek.

To do ciebie podobne, żeby zawalić najprostszą sprawę – powiedział Melvin.

O Boże, Melvin, nie widzisz, że krew mi się leje z głowy?

Smarkacz cię załatwił. Śmiechu warte. Przypierdolił ci smarkul.

O, syreny, super.

No cóż, gliniarze mieli tego dnia pecha. Postanowił stanąć z nimi do walki wręcz. Wysiedzieć do ostatniej chwili, patrząc, jak się zbliżają, i bezgłośnie powtarzając zabójczą mantrę, która całą jego życiową moc skupi w pięściach.

Siedział, wmyślając się we własne pięści. Były olbrzymimi głazami z granitu. Dwoma pitbulami. Spróbował wstać. Nie wiedzieć czemu nogi go nie słuchały. Miał nadzieję, że gliny wkrótce się zjawią. Strasznie bolała go głowa. Kiedy jej dotknął, wyczuł palcami jakiś luz. Jakby miał na niej czepek ze skrzepów. Trzeba będzie założyć szwy. Oby zanadto nie bolało. Ale chyba jednak zaboli.

Gdzie się podział tyczkowaty chłopak?

A, tu.

Pochylał się nad nim, zasłaniając słońce, trzymając kamień w górze, i coś wrzeszczał, ale nie sposób było zrozumieć co konkretnie, bo w uszach dzwoniło.

I raptem zrozumiał, że chłopak chce mu spuścić kamień na głowę. Zamknął oczy i czekał, lecz zamiast spokoju czuł tylko kiełkowanie przeokropnej zgrozy, która wzbierała w nim, aż w nagłym przebłysku zaświtało mu, że jeśli będzie narastała w takim tempie, to on sam wyląduje wiadomo gdzie: w Piekle.

Alison stała przy oknie w kuchni. Zsikała się. Mniejsza o to. Każdemu może się zdarzyć. W napadzie przerażenia. Zauważyła to, kiedy telefonowała. Strasznie jej się wtedy trzęsły ręce. Dotąd zresztą nie przestały. Jedna stopa przytupywała jak łapka disnejowskiego króliczka. Boże, czego on jej nagadał. Uderzył ją. I uszczypnął. Na bicepsie został jej wielki siniak. Jak Kyle mógł dalej tam stać? Ale fakt, że stał w tych śmiesznych szortach i chyba czuł się bardzo pewnie, skoro dla wygłupu podniósł nad głowę zaciśnięte pięści jak bokser z jakiegoś fajnego, równoległego wszechświata, w którym taki chudzielec mógł pokonać faceta z nożem.

Chwila.

Wcale nie zaciskał pięści. Trzymał oburącz kamień, krzycząc z góry na faceta, który klęczał jak ten więzień z zawiązanymi oczami, co go oglądali na wideo podczas lekcji historii, tuż przedtem, zanim oficjalnie wystrojony gościu w hełmie ściął go mieczem.

Kyle, nie rób tego – szepnęła Alison.

Miesiącami śniły jej się potem koszmary, w których Kyle spuszczał kamień. Stała na tarasie, usiłując wykrzyczeć jego imię, ale nie mogła wydobyć głosu. Kamień spadał. I nagle facet nie miał głowy. Cios dosłownie rozbił ją w drobny mak. Ciało klapnęło na ziemię, a Kyle spojrzał na Alison ze zdruzgotaną miną, jakby mówił: Jestem skończony. Zabiłem człowieka.

Czasem zastanawiała się, czemu w snach nie udaje nam się zrobić najprostszych rzeczy. Powiedzmy, że jakiś szczeniaczek skowyczy, stojąc na potłuczonym szkle, więc chciałoby się wziąć go na ręce i strzepnąć mu z łapek okruchy, ale nie da się, bo właśnie balansujesz z piłką na czubku głowy. Albo prowadzisz samochód i pcha ci się pod koła staruszek o kulach, więc pytasz pana Federa, instruktora jazdy: Mam go ominąć? A on na to: Eee, chyba tak. Ale raptem słyszysz łoskot, a Feder stawia ci w notesie minus.

Z tych snów o Kyle'u nieraz budziła się zapłakana. Ostatnim razem Rodzice już nad nią stali, tłumacząc: To nie tak było. Pamiętasz, Allie? Jak to się potoczyło?

Powiedz. Powiedz na głos. Allie, możesz powiedzieć mamusi i tatusiowi, co się wtedy naprawdę stało?

Wybiegłam przed dom – powiedziała. – Krzyknęłam.

No właśnie – przytaknął tata. – Krzyknęłaś. Dzielnie krzyknęłaś.

A co zrobił Kyle? – zapytała mama.

Odłożył kamień – rzekła Alison.

Przydarzyła wam się straszna rzecz, dzieci – powiedział tata. – Ale mogło pójść gorzej.

Dużo gorzej – dodała mama.

Ale dzięki wam obojgu – powiedział tata – udało się uniknąć najgorszego.

Dobrzeście się spisali – pochwaliła mama.

Wręcz wzorowo – podkreślił tata.

Patyki

Wieczorem w każde Święto Dziękczynienia wychodziliśmy całą gromadką za tatą, on zaś wywlekał na drogę kostium Świętego Mikołaja i przyozdabiał nim coś w rodzaju krzyża z metalowych prętów, który sklecił na podwórku. W tygodniu finału mistrzostw ligi futbolowej ubierał go w bluzę, a na pionowej rurce wieszał kask Roda, więc jeżeli Rod akurat wtedy potrzebował kasku, musiał prosić tatę o pozwolenie. Czwartego lipca krzyż stawał się Wujem Samem, w Dniu Weteranów – żołnierzem, a w Zaduszki – duchem. Był jedynym ustępstwem taty na rzecz radości. W te uroczyste dni tata pozwalał każdemu z nas wybrać sobie z pudełka Crayoli jedną kredkę świecową. W wigilię Bożego Narodzenia skrzyczał raz Kimmie za to, że zmarnowała plasterek jabłka. Kiedy polewaliśmy potrawy keczupem, wisiał nad nami, powtarzając: Będzie dość, będzie dość, będzie dość. W urodziny jadaliśmy babeczki, ale żadnych lodów. Pierwsza dziewczyna, którą przyprowadziłem do domu, spytała:

– Co twój tata wyczynia z tym krzyżem?

Siedziałem w milczeniu, mrugając oczami.

Wynieśliśmy się z domu i pożenili, dochowaliśmy się własnych dzieci i odkryliśmy, że w nas też kiełkują nasiona wredności. Tata zaczął przyozdabiać krzyż w sposób bardziej skomplikowany i z mniej widoczną logiką. W Dniu Świstaka nakrył go jakimś futrem i wytaszczył przed dom reflektor, żeby od krzyża padał cień. Po trzęsieniu ziemi w Chile położył go na boku i namalował sprejem rozpadlinę. Mama umarła, a on przebrał krzyż za Śmierć i powiesił na poprzeczce fotki nieboszczki z czasów niemowlęctwa. Kiedy go odwiedzaliśmy, wokół podstawy krzyża leżały dziwne talizmany z młodości taty: wojskowe medale, bilety do teatru, stare bluzy, tubki maminego pudru w kremie. Pewnej jesieni pomalował krzyż na jaskrawy odcień żółci. Potem zimą dla ciepła otulił go kawałkami waty i obdarzył potomstwem, wbijając w podwórko sześć patyków z poprzeczkami. Między krzyżem a każdym krzyżykiem przeciągnął sznurek i poprzyklejał do niego taśmą listy z przeprosinami, wyznaniami win i prośbami o zrozumienie, skreślone gorączkowo na bibliotecznych fiszkach. Wymalował na tabliczce słowo KOCHAM i powiesił ją na krzyżu. Dodał do niej drugą z napisem WYBACZYSZ?, zanim umarł w holu przy włączonym radiu, a my sprzedaliśmy dom dwojgu młodym, którzy wyrwali krzyż z ziemi i w dniu wywozu śmieci rzucili na pobocze drogi.

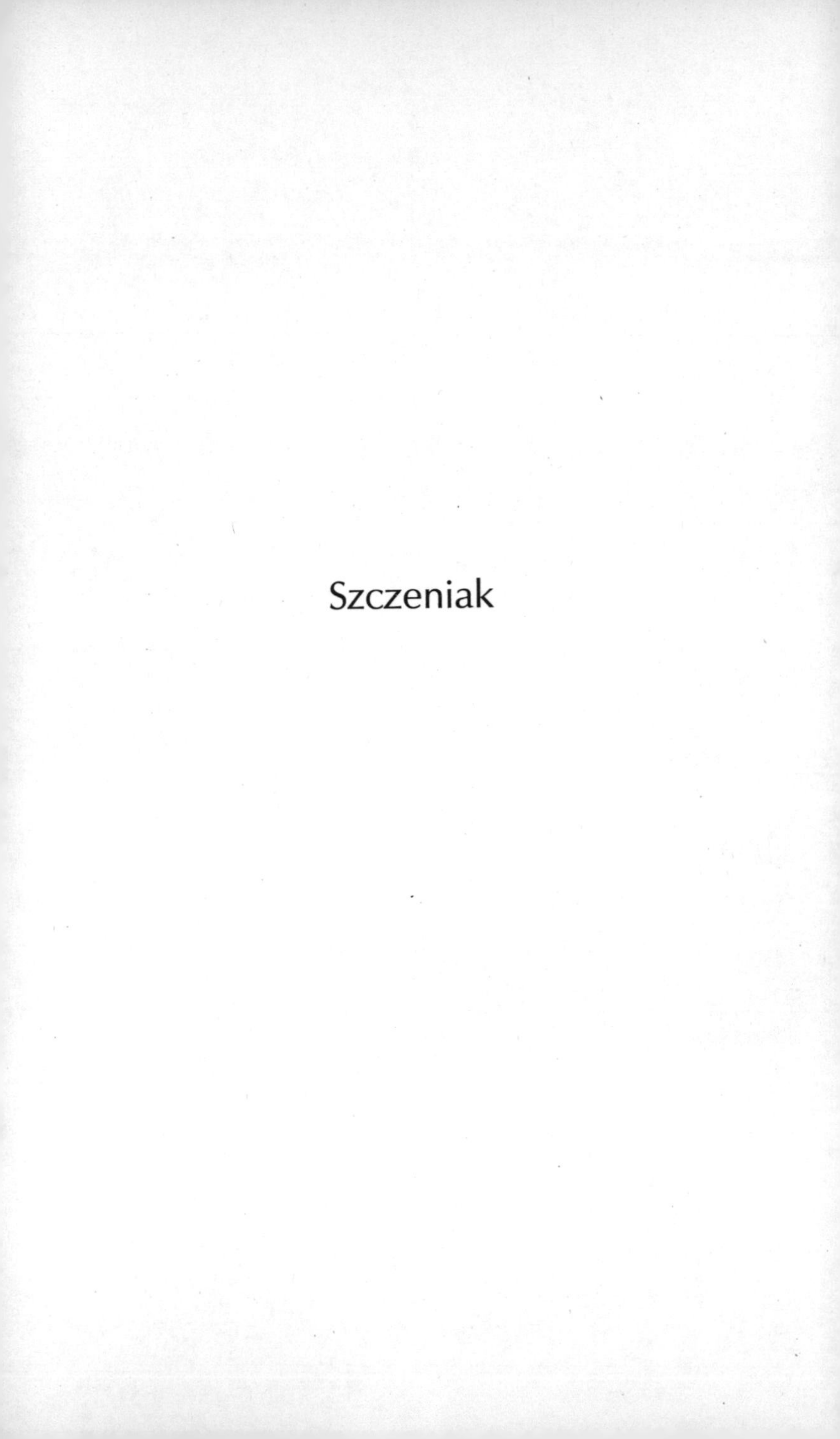

Szczeniak

Marie już dwukrotnie skomentowała przepiękne pole kukurydzy w blasku jesiennego słońca, albowiem blask jesiennego słońca na przepięknym polu kukurydzy kojarzył jej się z nawiedzonym domem – nie jakimś konkretnym, naprawdę niegdyś widzianym, lecz mitycznym, który ukazywał jej się w wyobraźni (wraz z przyległym do niego cmentarzem oraz kotem na płocie), ilekroć widziała blask jesiennego słońca na przepięknym itd., itp. – a ponieważ dzieciom wyobraźnia mogła podsuwać analogiczną wizję mitycznego nawiedzonego domu, ilekroć widziały blask jesiennego słońca na itd., itp., chciała zadbać o to, żeby wizja ta nasunęła im się właśnie teraz, dzięki czemu mogliby doznać jej wszyscy razem, jak przyjaciele, jak zaprzyjaźnione grono studentów na samochodowej wycieczce bez ziela, ha, ha, ha!

Ale nic z tego. Kiedy po raz trzeci powtórzyła: „Ojej, rzućcie okiem, moi drodzy", Abbie odparła:

– Dobra, mamo, widzimy: to kukurydza.

A Josh dodał:

– Nie teraz, mamo, właśnie zaczyniam chleby.

To ostatnie wcale jej nie martwiło, wręcz cieszyło, bo z dwojga złego wolała Szlachetnego Piekarza niż Wypychacza Staników, a właśnie o tę grę chłopiec najpierw prosił.

Co tu zresztą można było wiedzieć? Może nie mieli w głowach żadnych mitycznych winietek. A może mityczne winietki z ich głów zdecydowanie różniły się od tych, które wypełniały jej własną głowę. I na tym polegał urok sytuacji, bo malcy byli w końcu przecież samodzielnymi ludźmi! A ona tylko się nimi opiekowała. Nie musieli podzielać jej uczuć. Dość, że utwierdzała ich w trafności tego, co sami czuli.

Ale to pole kukurydzy było takim klasycznym okazem piękna, że ojej.

– Kiedy widzę takie pole, moi drodzy – powiedziała – zawsze nie wiedzieć czemu myślę o nawiedzonym domu.

– Nóż do Kromek! Nóż do Kromek! – krzyknął Josh. – Ty głupi nimrodzie! To jego wybrałem!

A skoro już mowa o Zaduszkach, to przypomniała sobie, jak przed rokiem przewrócił im się wózek z zakupami, kiedy bukiet z kukurydzianych łodyg zanadto się przechylił. O matko, ale się uśmiali! Śmiech w rodzinnym gronie to istny skarb. W dzieciństwie go nie zaznała, bo tata był surowy, a mama wstydliwa. Gdyby to im się przewrócił wózek pełen zakupów, tata z rozpaczą by go kopnął, mama ostentacyjnie odeszłaby na bok, żeby poprawić szminkę, dystansując się wobec męża, a Marie ze zdenerwowania wzięłaby do buzi tego koszmarnego żołnierzyka z plastiku, któremu dała na imię Brady.

Za to w jej rodzinie wręcz zachęcało się do śmiechu! Kiedy zeszłego wieczoru Josh szturchnął ją konsolką do gier, prychnęła prosto na lustro pastą do zębów i wszyscy wybuchnęli śmiechem, tarzając się po podłodze z Goochiem, a Josh tęsknie spytał:

– Pamiętasz, mamo, jak Goochie był szczeniakiem?

I wtedy Abbie się rozpłakała, bo miała tylko pięć lat, więc nie pamiętała Goochiego jako szczeniaka.

Stąd pomysł Rodzinnej Wyprawy. A co na to Robert? O, Bóg z nim! Ten wymarzony mąż nie miałby nic przeciwko Rodzinnej Wyprawie. Uwielbiała, jak mówił „Ho, HO!", ilekroć sprowadzała do domu jakąś nieoczekiwaną nowość.

– Ho, HO! – powiedział, gdy po powrocie do domu zastał iguanę. – Ho, HO! – rzekł, kiedy po powrocie do domu zobaczył, że do klatki z iguaną próbuje się wedrzeć fretka. – Coś mi się zdaje, że zostaliśmy szczęśliwymi zawiadowcami całej menażeryjki!

Marie uwielbiała Roberta za jego krotochwilność: mogła sprowadzić do domu hipopotama, kupionego na kredyt (tak jak kupiła iguanę i fretkę), a on by tylko powiedział: „Ho, HO!", zanimby spytał, co to stworzenie jada, kiedy sypia, i jak, do jasnej ciasnej, nazwą to pieprzone maleństwo.

Z tylnego siedzenia dobiegało charakterystyczne „rach-ciach-ciach", jak zawsze, gdy Josh nastawiał swojego Piekarza na Tryb Pieczenia i usiłował powkładać Bochny do pieca, jednocześnie odpędzając różnych Głodomorów, na przykład Lisa ze wzdętym brzuchem albo szalonego Rudzika, który – choć wyda się to nieprawdopodobne – porywał jeden Bochen, nadziawszy go sobie na dziób, ilekroć udało mu się spuścić Kamyk na Piekarnię (Marie dowiedziała się tego wszystkiego latem, studiując instrukcję do Szlachetnego Piekarza, kiedy Josh spał).

I to pomogło, naprawdę pomogło. Josh był ostatnio mniej zamknięty w sobie, a gdy podchodziła do niego od tyłu, kiedy grał, i mówiła na przykład: „Ojej, nie wiedziałam, że umiesz piec Pumpernikiel, kochanie" albo: „Skarbie, spróbuj Zębatym Nożem, pójdzie szybciej, i spróbuj jednocześnie Zamknąć Okno", sięgał za siebie wolną ręką i wymierzał jej czułego klapsa, a wczoraj oboje serdecznie się uśmiali, bo niechcący strącił jej przy tym okulary.

No więc jej matka mogła sobie gadać do woli, że Marie psuje dzieci. Wcale nie były zepsute, tylko otoczone miłością. Przynajmniej nigdy żadnego nie przetrzymała dwie godziny za drzwiami w szalejącej śnieżycy, kiedy wróciło z gimnazjalnej potańcówki. I ani razu nie warknęła po pijanemu: „Ty i wyższe studia?". Nigdy też nie zamknęła dziecka w szafie (w szafie!), żeby móc bez przeszkód zabawiać w salonie autentycznego robola prosto od łopaty.

Boże, jaki piękny był świat! Jesienne barwy, migotliwa rzeka, ołowiana chmura, wskazująca niby zaokrąglony grot ku połowicznie zreorganizowanemu McDonaldowi, który stał jak zamek nad autostradą I-90.

Była pewna, że tym razem wszystko pójdzie inaczej. Dzieci same zaopiekują się nowym ulubieńcem, bo szczeniak nie ma przecież łusek i nie gryzie. (Ho, HO! – powiedział Robert, kiedy iguana pierwszy raz go ugryzła. – Widzę, że masz w tej sprawie własne zdanie!).

Dzięki ci, Boże – pomyślała Marie, gdy lexus mknął przez pole kukurydzy. Tyle mi dałeś: kłopoty i siłę potrzebną do radzenia sobie z nimi. Obdarzasz mnie łaską i nie skąpisz okazji, żebym codziennie mogła dzielić się nią z innymi. I zaśpiewała w duchu, jak to nieraz robiła, kiedy czuła, że świat jest dobry, a ona znalazła na nim wreszcie miejsce dla siebie: Ho, HO, ho, HO!

Callie odsunęła storę.

Tak. Rewela. Rozwiązanie doskonale się sprawdzało.

Mógł tam robić kupę różnych rzeczy. Podwórko mogło być całym światem. Tak jak to, na którym sama się wychowała. Przez trzy dziury w drewnianym płocie oglądała stację Exxona (dziura pierwsza) i Narożnik Wypadków (dziura druga), a trzecia to były właściwie dwie dziury, i kiedy człowiek odpowiednio się ustawił, żeby spojrzeć przez obie naraz, oczy mu się rozjeżdżały i mógł wykonać scenkę O Mój Boże, Ale Mam Odlot, odchodząc chwiejnym krokiem, zezując i powtarzając „spoko, stara, spoko".

Jak Bo dorośnie, wszystko się zmieni. Będzie wtedy potrzebował swobody. Ale póki co trzeba tylko zadbać, żeby się uchował. Kiedyś zapędził się aż hen, na Testament. Po drugiej stronie I-90. Jak się przedostał przez autostradę? Co za pytanie. Przebiegł i tyle. Zawsze przebiegał przez jezdnię. Raz jakiś nieznajomy zadzwonił z Hightown Plaza. Nawet doktor Brile powiedział:

– Callie, ten chłopiec długo nie pożyje, jeśli go nie weźmiesz w karby. Czy aby zażywa leki?

No, zażywał i nie zażywał. Po lekach zgrzytał zębami i nagle łups w coś pięścią! Stłukł w ten sposób sporo talerzy, a raz rozbił szklany blat i trzeba mu było założyć w nadgarstku cztery szwy.

Akurat tego dnia nie potrzebował leków, bo był bezpieczny na podwórku, a to dzięki temu, że Callie znalazła taki doskonały sposób.

Siedział tam i trenował wystawianie: nabierał kamyków do swojego kasku z monogramem Yankees, a potem ciskał nimi w drzewo.

Podniósł wzrok i zobaczył, że Callie na niego patrzy, więc posłał jej całusa.

Słodziaczek.

Jedynym jej zmartwieniem był teraz szczeniak. Miała nadzieję, że ta pani, co dzwoniła, naprawdę przyjedzie. Szczeniak był ładny. Biały z brązową łatą na oku. Śliczności. Jeżeli ta pani przyjedzie, na pewno go zechce. A jeżeli go weźmie, Jimmy będzie miał odpuszczone. Tamtą razą z kociętami zrobił to wbrew sobie. Ale jeżeli nikt nie weźmie szczeniaka, znów to zrobi. Będzie musiał. Sam przecież twierdził, że jak się coś obieca i nie dotrzyma, to potem dzieci wsiąkają w narkotyki. No i wychował się na farmie, a przynajmniej niedaleko farmy, a przecież każdy człowiek wychowany na farmie wie, że jak mus, to mus, kiedy się rozchodzi o chore albo zbędne zwierzęta, chociaż szczeniak wcale nie był chory, tylko zbędny.

Po aferze z kociakami Brianna i Jessi zwyzywały Jimmy'ego od morderców, aż Bo się strasznie podpalił, a Jimmy wrzasnął:

– Słuchajcie, smarkacze, wychowałem się na farmie i jak mus, to mus!

Potem płakał w łóżku, powtarzając, że kociaki miauczały w worku przez całą drogę do stawu, a on żałuje, że się wychował na farmie, więc Callie o mało nie powiedziała „Znaczy się niedaleko farmy" (jego tata miał myjnię na przedmieściach Cortland), ale jak mu za bardzo pyskowała, to czasem wpijał jej się palcami w ramię i zaczynał z nią walcować po sypialni, jakby miejsce, za które ją chwycił, było czymś na kształt trzymadła, i w kółko powtarzał:

– Czy ja żem się aby nie przesłyszał?

I dlatego po kociakach powiedziała tylko:

– Och, skarbie, jak mus, to mus.

A on jej na to:

– No chyba, ale słowo daję, ciężko wychować dzieci jak trza.

A ponieważ nie zatruła mu życia pyskowaniem, dalej leżeli, snując plany: a może by tak sprzedać dom, wyjechać do Arizony i założyć myjnię, może by tak kupić dzieciom apkę do nauki czytania ze słuchu, może nasadzić pomidorów, a potem zaczęli się siłować i (właściwie nie miała pojęcia, czemu to zapamiętała) Jimmy odstawił ten swój numer, znaczy tuląc ją do siebie, nagle ni to parsknął, ni to prychnął rozpaczliwym śmieszkiem prosto w jej włosy, trochę jakby kichnął albo miał się zaraz rozpłakać.

A ona poczuła, że widać jest wyjątkowa, skoro tak jej zaufał.

No, a co najbardziej chciałaby robić tego wieczoru? Opylić szczeniaka, wcześnie zapakować dzieci do łóżek, a jakby Jimmy zobaczył, że ze szczeniakiem wszystko obłatwiła, mogliby pobaraszkować i potem na leżąco snuć plany, a on mógłby znowu parsknąć śmiechem w jej włosy.

Nie miała bladego pojęcia, czemu to parskanie śmiechem jest dla niej takie ważne. Było to po prostu jedno z dziwactw Jej Cudownej Mości, ha, ha, ha.

Za oknem Bo zerwał się na równe nogi, raptem zaciekawiony, ponieważ (a jakże) przed dom zajechała ta pani, co dzwoniła.

I to niezłym wozem, więc Callie zaraz pożałowała, że w ogłoszeniu napisała „tanio".

– Jaki on piękny, mamo, ja go chcę! – pisnęła Abbie, kiedy szczeniak podniósł głowę i trochę nieprzytomnie wyjrzał z pudełka po butach, a pani domu odeszła ciężkim krokiem i zebrała z dywanu ni mniej, ni więcej, tylko cztery psie kupy.

Ha, cóż: wspaniała wycieczka krajoznawcza dla dzieci – pomyślała Marie, ha, ha (brud, odór pleśni, jeden jedyny tom encyklopedii w suchym akwarium, na półce zamiast książek – gar do makaronu, z którego nie wiedzieć czemu sterczał biało-czerwony balon, zgięty u góry jak pastorał), a choć niejeden wzdrygnąłby się ze wstrętu (na widok zapasowej opony pośrodku stołu w jadalni, no i tej ponurej psicy, domniemanej sprawczyni fajdania w domu, wlokącej sempiterną po stercie ubrań w kącie pokoju, na siedząco, z rozkraczonymi łapami i debilnie rozkoszną miną), do Marie (która siłą powstrzymywała się, żeby natychmiast nie podbiec do zlewu i nie umyć rąk, i wychodziła z tej walki zwycięsko między innymi dlatego, że w zlewie leżała piłka do koszykówki) nagle dotarło, że to wszystko jest w gruncie rzeczy okropnie smutne.

Proszę, niczego nie dotykajcie, błagam, nie dotykajcie – powiedziała do Josha i Abbie, ale tylko w duchu: niech dzieci się przekonają, jaką jest tolerancyjną demokratką, a potem wszyscy troje umyją się w połowicznie zreorganizowanym McDonaldzie, byle tylko nie dotykały dłońmi ust i, Boże uchowaj, nie tarły oczu.

Zadzwonił telefon i do kuchni wtarabaniła się pani domu, kładąc zgrabnym gestem zawinięte w papierowy ręcznik balasy na blacie.

– Mamo, ja go chcę – powtórzyła Abbie.

– Będę go dwa razy dziennie wyprowadzał, jak słowo daję – obiecał Josh.

– Nie mów „jak słowo daję" – zwróciła mu uwagę Marie.

– Będę go dwa razy dziennie wyprowadzał, słowo daję – poprawił się Josh.

No dobrze, niech i tak będzie, przygarną psa od białej hołoty. Ha, ha. Nazwą go Zeke i kupią mu fajeczkę z kaczana kukurydzy oraz słomiany kapelusz. Wyobraziła sobie, jak szczeniak zapaskudza dywan, a potem patrzy na nią, jakby mówił: „Inacy nie mogie". Ale co tam. Czy ona sama wychowała się w nienagannym domu? Wszystko podlega zmianom. Wyobraziła sobie, jak szczeniak po osiągnięciu dorosłości zabawia przyjaciół, mówiąc z brytyjskim akcentem: „Rodzina, z której się wywodzę, nie była, rzekłbym, z tych najszacowniejszych...".

Ha, ha, ojej, umysł to jednak coś niesamowitego, nieustannie wypluwa z siebie te...

Marie podeszła do okna, z miną antropolożki odsunęła storę i doznała tak okropnego szoku, że puściła skraj zasłony i pokręciła głową, jakby usiłowała się obudzić, wstrząśnięta widokiem chłopca, zaledwie o kilka lat młodszego od Josha, w uprzęży i na łańcuchu, przykutego do drzewa za pomocą jakiegoś wichajstra, dzięki któremu... zaraz jednak z powrotem zaciągnęła storę, przekonana, że tylko jej się przywidziało, bo przecież coś takiego nie może dziać się naprawdę...

Gdy chłopiec biegał, łańcuch odwijał się ze szpuli. I oto mały właśnie pobiegł. Spoglądał przy tym przez ramię na Marie, jakby się przed nią popisywał. Kiedy do samego końca odwinął łańcuch, ten szarpnął go w tył, a on padł jak trafiony kulą.

Po chwili usiadł i zaczął wymyślać łańcuchowi, szarpiąc nim wte i wewte, zanim podszedł na czworakach do miski z wodą, podniósł ją do ust i pociągnął łyk: napił się z psiej miski.

Josh też stanął przy oknie.

Pozwoliła mu patrzeć.

Powinien wiedzieć, że świat to nie tylko lekcje, iguany czy Nintendo, lecz i ten ubłocony mały prostak, uwiązany jak zwierzę.

Pamiętała, jak wyszła wtedy z szafy i zobaczyła porozrzucaną bieliznę matki, a obok metalowy stojak robola z mnóstwem pomarańczowych chorągiewek. I jak w coraz gęściej padającym śniegu marzła do szpiku kości przed drzwiami gimnazjum, w kółko licząc do dwustu i za każdym razem obiecując sobie, że kiedy już doliczy, ruszy piechotą w długą drogę do domu…

Boże, gotowa była wtedy zabić, byle tylko znalazł się jakiś sprawiedliwy dorosły, który stawiłby czoło jej matce, potrząsnąłby nią i powiedział:

– Idiotko, przecież to twoje dziecko, a ty temu rodzonemu dziecku…

– No to jak zamiarujecie go wołać? – spytała baba, wychodząc z kuchni.

Z jej tłustej gęby o ledwo maźniętych szminką ustach aż biło okrucieństwo i nieuctwo.

– Chyba go jednak, niestety, nie weźmiemy – odparła zimno Marie.

Abbie w ryk! Ale Josh (i za to Marie postanowiła go pochwalić, a może nawet kupić mu rozszerzenie do pieczenia Włoskich Bułek) syknął na siostrę i oboje ruszyli przez zabałaganioną kuchnię (mijając leżący na blasze do ciastek wał korbowy i puszkę zielonej farby z pływającym kawałkiem ostrej papryczki), podczas gdy gospodyni pomykała za nimi, mówiąc czekajcie, czekajcie, oddam go za darmo, tylko proszę, weźcie, jakby strasznie jej zależało, żeby szczeniaka zabrali.

– Nie – odrzekła Marie, tym razem nie mogą go wziąć, bo jej zdaniem nie powinno się trzymać w domu stworzenia, o które nie potrafi się należycie zadbać.

– O – westchnęła kobieta i tak jakby oklapła, stojąc w drzwiach z przewieszonym przez ramię szczeniakiem, który próbował uchwycić jej się łapkami. Kiedy wsiedli z powrotem do lexusa, Abbie zaczęła cichutko chlipać, powtarzając:

– To był dla mnie wymarzony szczeniak, naprawdę.

Rzeczywiście był miły, ale Marie nie zamierzała choćby w najmniejszym stopniu przyłożyć ręki do tego rodzaju sytuacji.

Nie miała zamiaru, i już.

Chłopiec podszedł do płotu. Gdyby tylko mogła mu powiedzieć jednym spojrzeniem: *Życie nie-koniecznie zawsze będzie takie. Twoje może nagle rozkwitnąć w coś cudownego. To się zdarza. Mnie samej się zdarzyło.*

Ale porozumiewawcze spojrzenia, przekazujące bezmiar znaczeń za pomocą subtelnych komunałów, to zwykłe sratytaty. Co innego telefon do opieki społecznej, gdzie Marie zna niejaką Lindę Berling, bardzo konkretną kobietę, która zgarnie tego biednego chłopca, i to tak szybko, że jego grubej matce zakręci się w pustej głowie.

– Zara się wracam, Bo! – krzyknęła Callie i ze szczeniakiem na ramieniu ruszyła przed siebie, wolną ręką rozgarniając kukurydzę, aby zatrzymać się dopiero wtedy, gdy nie widziała już nic oprócz kukurydzy i nieba.

Był taki mały, że nawet się nie poruszył, kiedy go położyła na ziemi, tylko niuchnął i przewrócił się na bok.

W końcu co za różnica, utonąć w worku czy paść z głodu wśród kukurydzy? Grunt, że oszczędzi Jimmy'emu przykrego obowiązku. I tak miał przecież dość zmartwień. Chłopak z włosami do pasa, którego kiedyś poznała, był już tylko skurczonym od trosk dziadygą. A jak się rozchodziło o pieniądze, to miała zakitrane sześć dych. Da mu dwie i powie:

– Te państwo, co wzięło szczeniaka, było strasznie miłe.

„Nie oglądaj się, nie oglądaj się", powtarzała sobie w duchu, pędząc z powrotem przez kukurydzę.

A potem szła wzdłuż Teallback Road, jakby maszerowała dla sportu, jak jakaś pani, która co wieczór idzie się przejść, żeby zeszczupleć, tyle że jej daleko było do szczupłości, zdawała sobie z tego sprawę, no i wiedziała, że dla sportu nie chodzi się w dżinsach i rozsznurowanych traktorach. Ha, ha. Nie była głupia. Po prostu źle wybierała. Pamiętała, co powiedziała siostra Lynette: „Callie, jesteś nawet dosyć bystra, ale skłaniasz się ku temu, co ci nie służy".

„Trafiła siostra w punkt" – Callie w duchu przyznała rację zakonnicy. Ale co, do diabła. Co, do jasnej anielki. Kiedy wpadnie im trochę kasy, sprawi se porządne tenisówki i zacznie chodzić, żeby zeszczuplcć. I pójdzie do wieczorówki. Szczuplejsza. Może wyszkoli się na laborantkę. Całkiem wyszczupleć nie miała szans. Ale Jimmy'emu i tak się podobała. A on jej się podobał taki, jaki był. I może właśnie na tym polega miłość: kocha się kogoś takim, jaki jest, i pomaga mu się jeszcze poprawić.

Na przykład teraz pomagała Jimmy'emu, bo dla ulżenia jego losowi coś zabijała, żeby nie musiał... nie. Tylko szła, coraz dalej od...

Co też takiego przed chwilą powiedziała? A to dobre. Miłość polega na tym, że kocha się kogoś takim, jaki jest, i pomaga mu się jeszcze poprawić.

Na przykład Bo nie był wprawdzie idealny, ale kochała go właśnie takiego i próbowała mu pomóc, żeby się jeszcze poprawił. Gdyby udało się go upilnować, może by z wiekiem złagodniał. A jakby złagodniał, może z czasem założyłby rodzinę. Przecież siedział teraz spokojnie na podwórku i przyglądał się kwiatom. Miarowo stukał kijem i miał dosyć zadowoloną minę. Podniósł głowę, pomachał kijem w stronę Callie i uśmiechnął się do niej po swojemu. A jeszcze wczoraj tkwił w domu, strasznie nieszczęśliwy. Wieczorem wrzeszczał w łóżku, taki był rozżalony. A dziś patrzył na kwiaty. Kto tak wszystko urządził, że dziś jest lepsze niż wczoraj? Kto z miłości do chłopca wymyślił to rozwiązanie? Kto kochał go jak nikt inny na calutkim świecie?

Ona.

Ona sama.

Ucieczka z Pajęczej Głowy

I

– Kroplić? – dobiegło z głośnika pytanie Abnestiego.

– A czym? – zainteresowałem się.

– Ucieszným – odparł Abnesti.

– Zatwierdzam – powiedziałem.

Abnesti użył pilota. Mój MobiPak™ zawibrował. Po chwili Ogród Wewnętrzny przybrał całkiem miły wygląd. Wszystko wyglądało superklar.

Zgodnie z regulaminem powiedziałem na głos, co czuję:

– Ogród ładnie wygląda. Superklar.

– Jeff, a może byśmy podkręcili ośrodki mowy? – zaproponował Abnesti.

– Jasne – odparłem.

– Kroplić? – upewnił się Abnesti.

– Zatwierdzam – powiedziałem.

Dodał do kroplówki trochę Verbaluksu™ i już po chwili czułem to samo co dotąd, ale dokładniej to opisywałem. Ogród wciąż ładnie wyglądał. Krzaki były takie jakieś gęściejsze, a słońce jakby wszystko uwypuklało. Lada chwila mogli wejść spacerkiem Wiktorianie z filiżankami herbaty. Ogród zdawał się ucieleśniać swojskie marzenia, od wieków przyrodzone ludzkiej świadomości. Było tak, jakbym nagle dostrzegł w tej współczesnej winiecie owo pradawne rozumowanie, o które mógł zahaczyć Platon i niejeden ze współczesnych mu ludzi. Innymi słowy, w efemeryczności przeczuwałem wiekuistość.

Siedziałem sobie, mile pochłonięty myślami, dopóki działanie Verbaluksu™ nie zaczęło słabnąć. Po chwili ogród znów tylko ładnie wyglądał. Było w nim coś takiego, te krzaki i w ogóle, że miało się chęć leżeć bykiem, grzać w słońcu i snuć błogie myślątka. Kumacie mniej więcej, o co mi biega.

A potem reszta kroplówki też przestała działać i ogród już nic mi nie robił w żadną stronę. Tylko w ustach zaschło, a w brzuchu czułem to co zawsze po Verbaluksie™.

– Wiesz, jakie ta mikstura ma zalety? – spytał Abnesti. – Dajmy na to, gościu nie może spać, bo robi za nocnego stróża. Albo siedzi w szkole, czeka na swojego dzieciaka i w końcu się nudzi. Ale niedaleko jest trochę zieleni. Albo strażnik parku musi przepracować dwie zmiany jedna po drugiej.

– Supersprawa – powiedziałem.

– To jest ED763 – wyjaśnił Abnesti. – Chcemy go nazwać NatuŚlizg. A może ZiemPodziw.

– Obie nazwy dobrze brzmią – pochwaliłem.
– Dzięki za pomoc, Jeff – powiedział Abnesti.
Bo za każdym razem tak mówił.
– Jeszcze tylko milion lat – odparłem.
Bo za każdym razem tak mówiłem.
A on na to:
– Wyjdź już z Wewnętrznego Ogrodu, Jeff, i idź do Drugiej Pracowienki.

II

Do Drugiej Pracowienki przysłali jakąś bladą wysoką dziewczynę.
– I co powiesz? – dobiegło z głośnika pytanie Abnestiego.
– Ja? – zapytałem. – Czy ona?
– Oboje.
– Niezła – przyznałem.
– W porząsiu – powiedziała dziewczyna. – Znaczy w normie.
Abnesti kazał nam się nawzajem ocenić w sposób bardziej wymierny pod kątem urody i seksowności.
Wyszło na to, że podobamy się sobie mniej więcej średnio, czyli bez wyraźnego pociągu ani odrazy z żadnej strony.
– Jeff, kroplić? – spytał Abnesti.
– Zatwierdzam – powiedziałem.
– Heather, kroplić?
– Zatwierdzam – powiedziała dziewczyna.

Spojrzeliśmy po sobie, jakbyśmy się pytali „I co dalej?".

Otóż dalej było to, że Heather zaczęła wyglądać zajebiaszczo. Widziałem, że też jej się podobam. Zmiana była tak nagła, żeśmy się prawie roześmiali. Jak mogliśmy nie widzieć, że z tego drugiego jest taki ekstratowar? Na szczęście w Pracowience stała kanapa. W kroplówce oprócz tego, co na nas testowali, było chyba trochę ED556, które obniża poziom wstydu prawie do zera, bo raz-dwa wzięliśmy się do roboty na tej kanapie. Ostro między nami iskrzyło. I to nie tylko w temacie jebunku. Stało nam, owszem, ale generalnie też było ekstra. Jak wtedy, kiedy człowiek całe życie marzy o jakiejś dziewczynie i nagle ona ląduje z nim w tej samej Pracowience.

– Jeff – powiedział Abnesti. – Proszę cię o zgodę na podkręcenie ośrodków werbalizacji.

– Kręć śmiało – odparłem spod Heather.

– Kroplić? – spytał Abnesti.

– Zatwierdzam – powiedziałem.

– Ja też? – spytała Heather.

– Zgadłaś – odpowiedział ze śmiechem Abnesti. – Kroplić?

– Zatwierdzam – ona na to, mocno zdyszana.

Już po chwili dzięki dobroczynnemu działaniu domieszki Verbaluksu™ do naszych kroplówek nie tylko ruchaliśmy się jak ta lala, ale też mieliśmy supernawijkę. No bo na przykład zamiast powtarzać w kółko te same seksowne teksty (różne „łał!", „o Boże", „ja pierdolę" i tak dalej), zaczęliśmy improwizować na temat swoich wrażeń i myśli w podniosłym stylu, ze słownictwem rozszerzonym o osiemdziesiąt procent, a nasze precyzyjnie wyrażane spostrzeżenia nagrywano dla celów późniejszej analizy.

Jeśli o mnie idzie, to czułem mniej więcej coś takiego: zdumienie narastającą świadomością, że tę oto kobietę stwarzają na bieżąco wprost z mojego własnego umysłu najgłębsze me tęsknoty. Po tylu latach nareszcie (myślałem) udało mi się znaleźć właśnie tę konfigurację ciała/twarzy/umysłu, która uosabiała wszystko, co upragnione. Smak jej ust i aureola jasnych włosów, rozsypanych wokół twarzy o cherubinowym, a zarazem wyuzdanym wyrazie (leżała teraz pode mną z zadartymi nogami), a nawet (nie żebym chciał wysławiać się grubiańsko albo zbrukać wzniosłe uczucia, będące podówczas mym udziałem) wrażenia, które wywoływała jej pochwa na całej długości mego dźgającego członka, były właśnie tymi, których zawsze łaknąłem, choć nigdy aż do owej chwili nie zdawałem sobie sprawy z żarliwości rzeczonego łaknienia.

Innymi słowy, pożądanie budziło się i w tymże momencie doznawało zaspokojenia. Było tak, jakbym (a) tęsknił za pewnym niekosztowanym dotychczas smakiem, aż (b) owa tęsknota stawała się bez mała nieznośna i oto (c) miałem nagle w ustach kąsek o dokładnie tym smaku, idealnie kojący mą tęsknotę.

Każda wypowiedź, każda zmiana pozycji dowodziła jednego: znaliśmy się od zawsze, łączyło nas braterstwo dusz, a spotkawszy się i pokochawszy w wielu wcześniejszych żywotach, mieliśmy się też spotykać i kochać w wielu późniejszych, zawsze z tym samym, transcendentnie oszałamiającym skutkiem.

Nastąpiło potem trudne do opisania, lecz nader rzeczywiste odpłynięcie w cały ciąg rozmarzeń, które najtrafniej można określić mianem czegoś na kształt odfabularyzowanych pejzaży umysłu, to jest sekwencję niejasnych wizji mentalnych, ukazujących miejsca, jakich nigdym dotąd był nie odwiedzał (gęstwę sosen w dolinie pośród wysokich białych gór; drewniany dom w alpejskim stylu, stojący w ślepym zaułku, z podwórkiem zarośniętym rozłożystymi, karłowatymi drzewami jak z rysunków doktora Seussa), a każde z nich budziło we mnie głęboką, tkliwą tęsknotę i wszystkie owe tęsknoty stężały w jedną główną, postradawszy odrębny swój byt: w namiętne pragnienie Heather i li tylko Heather.

Zjawisko mentalnych pejzaży było najsilniej odczuwalne podczas trzeciej (!) rundy kochania. (Widocznie Abnesti zaprawił moją kroplówkę Vivisztyftem™).

Potem miłosne wyznania jęły lać nam się z ust jednoczesną strugą, lingwistycznie zawiłe i w metafory bogate: śmiem twierdzić, żeśmy się poetami stali. Pozwolono nam leżeć w oplątwie własnych naszych członków nieomal godzinę. Błogostan był to istny. Doskonałość wcielona. Zdarzyło nam się to, co uchodzi za niemożliwe: szczęście, które nie więdnie, aby ukazać strzelające z niego cienkie pędy jakowegoś nowego pożądania.

Tuliliśmy się do siebie z zajadłym skupieniem, mogącym iść o lepsze z tą skupioną zajadłością, która towarzyszyła nam podczas pierdolenia. Rozchodzi mi się o to, że przytulanie w porównaniu z pierdoleniem nie wypadało ani trochę gorzej. Leżeliśmy, bardzo przyjaźnie ze sobą spleceni, jak szczenięta albo małżonkowie, którzy spotykają się po raz pierwszy od chwili, gdy jedno z nich otarło się o śmierć. Wszystko wydawało się wilgotne, przenikalne, w y p o w i a d a l n e.

A potem działanie kroplówki zaczęło częściowo słabnąć. Chyba Abnesti wyłączył dopływ Verbaluksu™. I pewnie też inhibitor wstydu. Generalnie wszystko zaczęło się k u r c z y ć. Nagle dopadło nas onieśmielenie. Ale wciąż była w nas miłość. Zaczęliśmy proces rozmowy na zejściu z Verbaluksu™, a to zawsze wychodzi niezręcznie.

Widziałem jednak w jej oczach, że wciąż darzy mnie miłością.

A ja niewątpliwie to uczucie odwzajemniałem.

Jakżeby nie? Przecież dopiero co trzy razy żeśmy się pierdolili! Niby dlaczego nazywa się to „uprawianiem miłości"? Przed chwilą trzy razy ją uprawiliśmy i podlali.

I nagle Abnesti spytał:

– Kroplić?

Prawie zapomnieliśmy, że on tam w ogóle jest za tym swoim jednostronnym lustrem.

– Musimy? – spytałem ja z kolei. – Akurat teraz jest bardzo fajnie.

– Spróbujemy ściągnąć was z powrotem do parteru – powiedział Abnesti. – Czeka nas jeszcze dzisiaj trochę roboty.

– Kurwa – zakląłem.

– Szajs – dodała Heather.

– Kroplić? – spytał Abnesti.

– Zatwierdzam – powiedzieliśmy.

Po chwili coś zaczęło się zmieniać. Znaczy, Heather była niby w porząsiu. Ot, przystojna blada laska. Ale generalnie nic szczególnego. I widziałem, że ona do mnie czuje to samo, czyli „o co w ogóle było to całe zawracanie dupy?".

Gdzie nasze ciuchy? Czym prędzej w nie wskoczyliśmy.

Było nam trochę głupio.

Czy ją kochałem? A ona mnie?

Ha.

Nie.

Potem Heather musiała już iść. Podaliśmy sobie ręce.

Heather wyszła.

Przynieśli mi lunch. Na tacy. Spaghetti z kawałkami kurczaka.

Rany, ale byłem głodny.

Przez całą przerwę obiadową nic tylko myślałem. Dziwaczny to był stan. Jeszcze nie zapomniałem, jak rżnąłem Heather i co wtedy czułem. Pamiętałem wszystko, co do niej mówiłem. Zdarłem sobie gardło przez to, że tyle jej nagadałem i w takim pośpiechu, gnany jakimś musem. Ale uczucia? Zostało z nich coś koło zera.

Tylko wypieki na twarzy i lekki wstyd, że trzy razy się pierdoliłem przy Abnestim.

III

Po lunchu weszła inna dziewczyna.

Mniej więcej tak samo taka sobie. Ciemne włosy. Przeciętne ciało. Nic szczególnego, tak jak i Heather zaraz po wejściu wydawała mi się wcale nieszczególna.

– To jest Rachel – powiedział z głośnika Abnesti. – A to Jeff.

– Cześć, Rachel – powiedziałem.

– Cześć, Jeff – ona na to.

– Kroplić? – spytał Abnesti.

Oboje zatwierdziliśmy.

Stopniowo ogarnęło mnie bardzo znajome uczucie. Rachel nagle wyglądała zajebiaszczo. Abnesti poprosił nas o zgodę na podkręcenie ośrodków werbalizacji

Verbaluksem™. Zatwierdziliśmy. Już po chwili my też pierdoliliśmy się jak króliki. I raz-dwa zaczęliśmy nawijać jak elokwentni wariaci odnośnie do naszej miłości. Znów jęły narastać pewne wrażenia, wychodząc naprzeciw mojej równolegle narastającej, rozpaczliwej żądzy tychże wrażeń. Wspomnienie niezrównanego smaku ust Heather zatarł wkrótce kosztowany na bieżąco smak ust Rachel, o ileż bardziej w owej chwili upragniony. Doznawałem bezprecedensowych uczuć, chociaż te bezprecedensowe uczucia (jak majaczyło mi gdzieś w zakamarkach świadomości) były zupełnie *tożsame* z bezprecedensowymi uczuciami, które nieco wcześniej budziła we mnie Heather, postrzegana obecnie jako niegodne naczynie. Rozchodzi mi się o to, że Rachel była *trafiona w dziesiątkę*. Jej gibka talia, głos, zgłodniałe usta-dłonie/lędźwie – wszystko było *trafione*.

Po prostu ją kochałem, i to jeszcze jak.

Potem nastąpiła sekwencja geograficznych rozmarzeń (patrz wyżej): ta sama naszpikowana sosnami dolina, ten sam drewniany dom w alpejskim stylu, towarzyszyła im zaś identyczna jak przedtem tęsknota za owym miejscem, która przeistaczała się w tęsknotę za (tym razem) Rachel. Nie przestając odgrywać sceny seksualnego znoju o niejakiej intensywności, stwarzającego coś, co opisałbym jako coraz prężniejszą, umiejscowioną w piersi gumkę słodyczy, która łączyła nas, a zarazem popychała do czynu, szeptaliśmy gorączkowo (precyzyjnie, poetycko) o tym, od jak dawna (czyli od zawsze) we własnym odczuciu już się znamy.

I znów suma naszych miłosnych zbliżeń równała się trzem.

A potem – tak jak poprzednio – wszystkiego zaczęło ubywać. Nie wysławialiśmy się już tak kwieciście. Padało coraz mniej słów w coraz krótszych zdaniach. Ale wciąż ją kochałem. Ją, Rachel. Wszystko w niej wydawało się po prostu d o s k o n a ł e: pieprzyk na policzku, krucze włosy i ten lekki wywijas tyłkiem, który robiła co pewien czas, że niby: „Mniam, pycha".

– Kroplić? – spytał Abnesti. – Spróbujemy ściągnąć was oboje z powrotem do parteru.

– Zatwierdzam – powiedziała Rachel.

– Chwila moment – ja na to.

– Jeff – powiedział Abnesti zirytowanym tonem, jakby chciał mi przypomnieć, że nie jestem tam z własnej woli, tylko odsiaduję karę za popełnioną zbrodnię.

– Zatwierdzam – odparłem. A potem rzuciłem Rachel ostatnie miłosne spojrzenie, wiedząc coś, czego ona jeszcze nie wiedziała, a mianowicie to, że już nigdy z takim uczuciem na nią nie popatrzę.

Po chwili wydawała mi się tylko niezła i ja też w jej oczach byłem ledwo niezły. Miała taką samą zakłopotaną minę jak przedtem Heather, jakby myślała:

„O co w ogóle było to zawracanie dupy? Czemu aż tak wyszłam z siebie dla tego przeciętniaka?".

Czy ją kochałem? Albo ona mnie?

Nie. A kiedy musiała już iść, podaliśmy sobie ręce.

Od tylu zmian pozycji bolał mnie dół pleców, tam gdzie wszczepiono MobiPak™. No i byłem strasznie zmęczony. I bardzo smutny. Czemu? Czy nie był ze mnie kawał ogiera? Nie zerżnąłem dwóch dziewczyn w sumie sześć razy w jeden dzień?

A mimo to byłem taki smutny, że głowa mała, słowo daję.

Smuciło mnie to, że miłość nie jest prawdziwa? A przynajmniej nie całkiem prawdziwa? Smutek brał się chyba stąd, że wydawała się taka autentyczna, a po chwili ulatniała się, i to tylko dlatego, że Abnesti coś tam pomajdrował.

IV

Po przegryzce Abnesti wezwał mnie do Sterowni. Była ona czymś w rodzaju głowy pająka, z której zamiast łap rozchodziły się nasze Pracowienki i Pracownie. Abnesti wzywał nas czasem, żebyśmy razem z nim pracowali w głowie pająka. A raczej w Pajęczej Głowie, bo właśnie tak ją nazywaliśmy.

– Siadaj – powiedział. – Zajrzyj do Pierwszej Pracowni.

Siedziały tam obok siebie Heather i Rachel.

– Poznajesz je? – spytał Abnesti.

– Ba! – powiedziałem.

– No to teraz, Jeff – ciągnął Abnesti – dam ci do wyboru dwie możliwości. O to właśnie chodzi w tej grze. Widzisz tego pilota? Powiedzmy, że naciśniesz ten guzik i wtedy Rachel dostanie dawkę Mrokflokssu™. A po naciśnięciu tamtego guzika Mrokflokssem™ poczęstujemy Heather. Rozumiesz? Ty wybierasz.

– To one w MobiPakach™ mają Mrokflokss™? – spytałem.

– Wszyscy macie Mrokflokss™ w MobiPakach™, głąbie – powiedział czule Abnesti. – Verlaine w środę wam go dodał. Z myślą o tym właśnie badaniu.

No, zdenerwowało mnie to.

Wyobraźcie sobie najgorsze, coście w życiu czuli, razy dziesięć. To się nawet nie umywa do tego, jak fatalnie człowiek się czuje po Mrokflokssie™. Kiedy w trakcie Wprowadzenia podano nam tylko na króciutko, dla orientacji, jedną trzecią dawki, którą teraz zawiadywał pilot Abnestiego, czułem się tak koszmarnie jak nigdy. Wszyscy jęczeliśmy ze zwieszonymi głowami, nie rozumiejąc, jakim cudem kiedykolwiek nam się wydawało, że w ogóle warto żyć.

Wolę nawet nie wspominać tamtej chwili.

– Co postanawiasz, Jeff? – spytał Abnesti. – Rachel ma dostać Mrokflokss™? A może jednak Heather?

– Nie umiem zdecydować – odparłem.

– Musisz – powiedział.

– Nie mogę. To by było jak rzut monetą.

– Czujesz, że twoja decyzja byłaby czysto losowa.

– Tak – powiedziałem.

Bo rzeczywiście tak się czułem. Naprawdę było mi wszystko jedno. Wyobraźcie sobie, że to was wsadziłem do Pajęczej Głowy i każę wybierać, którą z dwóch nieznajomych chcecie posłać w cień doliny śmierci.

– Dziesięć sekund – powiedział Abnesti. – Sprawdzamy w ten sposób, czy nie została ci jakaś śladowa sympatia.

Nie żebym je obie lubił. Naprawdę były mi zupełnie obojętne. Jakbym ich nigdy w życiu nie widział, nie mówiąc już o pierdoleniu. (Co chyba znaczy, że Abnestiemu i reszcie załogi rzeczywiście udało się ściągnąć mnie z powrotem do parteru).

Ale ponieważ raz spróbowałem Mrokflokssu™, nie chciałem nikomu go zadać. Choćbym nawet za kimś nie przepadał albo wręcz go nienawidził, nie chciałbym mu tego zrobić.

– Pięć sekund – powiedział Abnesti.

– Nie umiem zdecydować – odparłem. – Czysto losowa sprawa.

– Naprawdę czysto losowa? – upewnił się Abnesti. – Dobra. Heather dostanie Mrokflokss™.

Siedziałem i nic.

– Albo nie – powiedział. – Dam go Rachel.

Siedziałem i nic.

– Jeff – powiedział Abnesti. – Przekonałeś mnie. Rzeczywiście wszystko ci jedno. Dla ciebie to naprawdę jak rzut monetą. Sam widzę. I dlatego nie muszę tego robić. Rozumiesz, co nam się udało? Dzięki twojej pomocy? Po raz pierwszy? Przy użyciu ED289/290? Który właśnie dziś testujemy? Musisz przyznać, że byłeś zakochany. Dwa razy. Zgadza się?

– Tak – przyznałem.

– I to bardzo zakochany. Dwukrotnie.

– No przecież mówię.

– Ale przed chwilą okazałeś kompletny brak jakichkolwiek preferencji – ciągnął Abnesti. – Ergo, po tych wielkich miłościach nie ma ani śladu. Jesteś całkowicie oczyszczony. Wywindowaliśmy cię na samą górę, ściągnęliśmy na dół i teraz siedzisz tu, emocjonalnie dokładnie taki sam jak przed rozpoczęciem testu. To po prostu bomba, wynik nie do pobicia. Rozszyfrowaliśmy tajemniczy, wiekuisty sekret. Co za fantastycznie rewolucyjne rozwiązanie. Powiedzmy, że ktoś nie umie kochać. Otóż teraz już potrafi. Możemy do tego doprowadzić. A jak kocha za bardzo? Albo kocha kogoś, kto jego opiekunowi wydaje się nieodpowiedni? Możemy raz-dwa stonować to zasraństwo. Powiedzmy, że ktoś jest smutny z powodu prawdziwej miłości. Wkraczamy albo wkracza opiekun danej osoby: i już po smutku. Pod względem panowania nad emocjami nie jesteśmy już jak dryfujące statki. Nikt nie jest dryfującym statkiem. Kiedy widzimy taki statek, wdrapujemy się na pokład i zamontowujemy ster. Prowadzimy jednostkę ku miłości. Albo jak najdalej od niej.

Mówisz jak Beatlesi: „Miłość starczy za wszystko?". Popatrz, nadchodzi ED289/290. Czy możemy przerwać wojnę? Możemy ją przyhamować, i to diabelnie łatwo! Nagle żołnierze z obu stron frontu zaczynają się pierdolić. A przy małych dawkach czują do siebie wielką sympatię. Albo, dajmy na to, mamy dwóch śmiertelnie zwaśnionych dyktatorów. Jeżeli uda nam się wyprodukować ED289/290 w postaci pigułki, ośmielę się ukradkiem podać dyktatorom po jednej. Już po chwili wtykają sobie nawzajem języki w gardła, a gołąbki pokoju srają im na epolety. Zresztą to zależy od dawki, bo przy mniejszej tylko się uściskają. A kto nam pomógł to osiągnąć? Ty sam.

Tymczasem Rachel i Heather spokojnie siedziały w Pierwszej Pracowni.

– Wystarczy, dziewczyny, dziękuję – powiedział Abnesti przez mikrofon.

Wyszły, nie mając pojęcia, jak mało brakowało, żeby dostały działkę Mrokflokssu™ prosto z tych swoich fiuterałów.

Verlaine wyprowadził je tylnym wyjściem, czyli nie przez Pajęczą Głowę, lecz przez Tylny Zaułek, który właściwie nie jest żadnym zaułkiem, tylko korytarzem z wykładziną na podłodze, prowadzącym do naszego Kwartału Kwater.

– Sam pomyśl, Jeff – powiedział Abnesti. – Pomyśl, co by było, gdybyś w tamtą fatalną noc mógł sięgnąć po ED289/290.

Prawdę mówiąc, już mi się trochę rzygać chciało przez to jego ciągłe gadanie o mojej fatalnej nocy.

Tego, co wtedy zrobiłem, od razu pożałowałem i coraz bardziej żałuję, a kiedy mi to znowu wypomniał, było mi akurat tak żal, że wcale nie zacząłem bardziej żałować, tylko pomyślałem, jaki z niego jednak chuj.

– Mogę już iść się położyć? – spytałem.

– Jeszcze nie – powiedział Abnesti. – Minie dobre parę godzin, zanim uśniesz.

I wysłał mnie do Trzeciej Pracowienki, a tam już siedział jakiś obcy facio.

V

– Rogan – powiedział facio.

– Jeff – powiedziałem.

– Co słychać? – spytał.

– Nic specjalnego.

Długo siedzieliśmy, obaj spięci, bez słowa.

Ciągle czekałem, czy aby mi się nagle nie zachce zerżnąć Rogana.

Ale nic z tych rzeczy.

Minęło może z dziesięć minut.

Trafiają nam się tu czasem ostrzy zawodnicy. Zauważyłem, że Rogan ma na szyi wytatuowanego szczura, który płacze, bo właśnie go ktoś dziabnął nożem. Ale ten zapłakany szczur dziabał nożem mniejszego szczurka, który tylko robił zdziwioną minę.

W końcu z głośnika odezwał się Abnesti:

– Wystarczy, chłopaki, dziękuję.

– Co to miało być, do kurwy nędzy? – zdziwił się Rogan.

Dobre pytanie, Rogan – pomyślałem. Po co kazali nam bezczynnie siedzieć we dwóch? Tak jak przedtem siedziały Heather i Rachel? I nagle zajarzyłem. Żeby sprawdzić, czy mam rację, wtargnąłem znienacka do Pajęczej Głowy. Której drzwi Abnesti zawsze specjalnie zostawiał otwarte, na dowód, jak bardzo nam ufa i że wcale nas się nie boi.

I zgadnijcie, kogo tam zastałem?

– Hej, Jeff – powiedziała Heather.

– Jeff, wynocha – powiedział Abnesti.

– Heather, czy pan Abnesti kazał ci przed chwilą wybrać, który z nas ma dostać Mrokflokss™: ja czy Rogan? – spytałem.

– Tak – przyznała Heather. Musieli jej chyba dać trochę PrawGadki™, bo powiedziała prawdę, chociaż Abnesti próbował ją uciszyć groźnym spojrzeniem.

– Pierdoliłaś się niedawno z Roganem, Heather? – pytałem dalej. – Prócz tego, że ze mną? I w nim też się zakochałaś, tak jak we mnie?

– Tak – powiedziała.

– Heather, słowo daję – wtrącił Abnesti. – Daj sobie siana.

Heather rozejrzała się za sianem, bo po PrawGadce™ wszystko rozumie się raczej dosłownie.

Po powrocie do Kwatery zrobiłem rachunek: Heather pierdoliła się ze mną trzy razy. Z Roganem pewnie tyle samo, bo Abnesti w imię spójności eksperymentu musiał dać nam obu proporcjonalnie taką samą dawkę Vivisztyftu™.

Ale skoro już mowa o spójności, musiał jeszcze nastąpić ciąg dalszy, bo na ile znałem Abnestiego, który zawsze pedantycznie dbał o symetrię gromadzonych danych, to nasuwało mu się pytanie: Czy i Rachel nie powinna wybrać, komu dać Mrokflokss™: mnie czy Roganowi?

Po krótkiej przerwie moje podejrzenia się potwierdziły: znowu usiadłem z Roganem w Trzeciej Pracowience!

Znów długo siedzieliśmy w milczeniu. Rogan głównie drapał się w mniejszego szczura, a ja próbowałem go podpatrywać, ale żeby się nie kapnął.

W końcu tak jak poprzednim razem Abnesti odezwał się przez głośnik:

– Wystarczy, chłopcy, dziękuję.

– Niech no zgadnę – powiedziałem. – Jest tam z tobą Rachel.

– Jeff, jak nie przestaniesz, to do jasnej cholery... – zaklął Abnesti.

– I właśnie stwierdziła, że nie chce dać Mrokflokssu™ ani mnie, ani Roganowi? – spytałem.

– Siema, Jeff! – zawołała Rachel. – Siema, Rogan!

– Rogan – powiedziałem. – Przeleciałeś może dzisiaj Rachel?

– Jeszcze jak – odparł Rogan.

Kręciło mi się we łbie. Rachel przeleciała mnie i Rogana? Heather też przeleciała nas obu? I każdy, kto kogoś przeleciał, zakochał się w tej osobie, a potem odkochał?

Co to był za szajbnięty Projekt Badawczy?

No bo brałem już udział w paru szajbniętych Projektach Badawczych. W jednym do kroplówki dodali czegoś takiego, że super się słuchało muzyki, więc jak puścili Szostakowicza, to pod sufitem mojej Kwatery latały prawie autentyczne nietoperze, a znowu w innym nogi mi całkiem zdrętwiały od pasa w dół, a mimo to mogłem przestać bite piętnaście godzin przy atrapie kasy fiskalnej i nie wiadomo jakim cudem rozwiązywałem w pamięci strasznie trudne zadania z dzielenia długich liczb.

Ale ze wszystkich moich szajbniętych Projektów Badawczych ten był zdecydowanie najbardziej szajbnięty.

Nie dawało mi spokoju pytanie, co przyniesie jutro.

VI

Tylko że jeszcze nie skończyło się dziś.

Znowu mnie zawołali do Trzeciej Pracowienki. Usiadłem i nagle wszedł jakiś obcy facet.

– Jestem Keith! – powiedział i zaraz podbiegł z grabą.

Był to wysoki przystojniak z Południa, zębaty i z falistymi włosami.

– Jeff – przedstawiłem się.

– Miło cię poznać! – on na to.

Usiadł i nie gadaliśmy. Za każdym razem, kiedy na niego patrzyłem, błyskał do mnie zębami i kiwał głową, cały rozchichrany, jakby mówił: „Dziwną mamy robotę, no nie?".

– Keith – powiedziałem. – Znasz może takie dwie lale, Rachel i Heather?

– Znam je na wylot – on na to. I nagle zęby jakoś tak świntuchowato mu błysły.

– A poszedłeś może dzisiaj z Rachel i z Heather do wyra, z każdą po trzy razy?

– Ktoś ty za jeden? Jakiś choleryczny jasnowidz czy co? – zdziwił się Keith. – Wygadujesz takie rzeczy, że się w pale nie mieści!

– Jeff, totalnie rozpieprzasz spójność przebiegu naszego eksperymentu – wtrącił Abnesti.

– Czyli albo Rachel, albo Heather siedzi teraz w Pajęczej Głowie – stwierdziłem. – I próbuje wybrać.

– Co wybrać? – spytał Keith.

– Którego z nas załatwić Mrokflokssem™ – wyjaśniłem.

– Rany julek! – jęknął Keith i znać było po zębach, że się boi.

– Spoko – powiedziałem. – Ona tego nie zrobi.

– Kto nie zrobi?

– Ta, która teraz tam siedzi.

– Wystarczy, chłopaki, dziękuję – powiedział Abnesti.

Po krótkiej przerwie Keith i ja znowu wylądowaliśmy w Trzeciej Pracowience i czekaliśmy, aż Rachel albo Heather nie zechce dać żadnemu z nas Mrokflokssu™.

Kiedy wróciłem do Kwatery, zrobiłem wykres, pokazujący, kto kogo pierdolił. Wyszło tak:

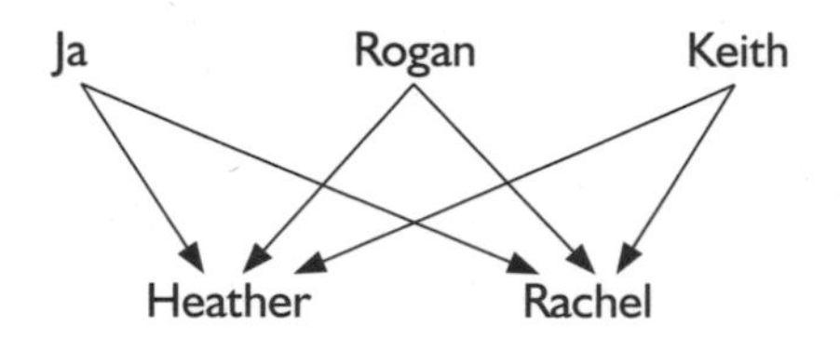

Wszedł Abnesti.

– Mimo twoich hopsztosów – powiedział – Rogan i Keith zareagowali dokładnie tak samo jak ty. I jak Rachel i Heather. Żadne z was w krytycznym momencie nie potrafiło zdecydować, komu dać Mrokflokss™. No i super. Co to znaczy? Dlaczego super? Bo to dowodzi, że ED289/290 naprawdę działa. Może wzbudzić miłość i ją wygasić. Jestem prawie gotów zacząć wymyślać dla niego nazwę.

– Te dziewczyny zrobiły to dzisiaj po dziewięć razy? – spytałem.

– PacyFiglix – powiedział Abnesti. – LuboMił. Coś jakbyś był wkurzony. Wkurzyłeś się?

– No, czuję się trochę wyrolowany.

– Czujesz się wyrolowany, bo zostało w tobie jeszcze trochę miłości do jednej z tych dziewczyn? Trzeba by to odnotować. Gniew? Zaborczość? Śladowa tęsknota seksualna?

– Nie.

– Naprawdę ci wisi, że dziewczynę, w której się zakochałeś, wydymało potem dwóch facetów, a w dodatku ona darzyła ich wtedy identyczną jakościowo i ilościowo miłością jak przedtem ciebie, chociaż w przypadku Rachel było akurat odwrotnie, bo ona dopiero później miała poczuć do ciebie identycznie to samo, co czuła do Rogana, kiedy ją dymał? Bo to chyba był Rogan. Mogła zresztą najpierw dymać Keitha. A potem ciebie jako przedostatniego. Trochę mi się myli kolejność operacji. Mogę sprawdzić w notatkach. Ale głęboko się nad tym zastanów.

Głęboko się zastanowiłem.

– Nic – powiedziałem.

– No, jest mnóstwo materiału do przeanalizowania – odparł Abnesti. – Na szczęście już noc. Dzisiejszy dzień mamy z głowy. Chcesz jeszcze o czymś pogadać? Coś jeszcze czujesz?

– Członek mnie piecze.

– Nic dziwnego – powiedział Abnesti. – Pomyśl, jak muszą się czuć dziewczyny. Przyślę ci Verlaine'a z kremem.

Niedługo potem Verlaine przyniósł mi krem.

– Cześć, Verlaine – przywitałem go.

– Cześć, Jeff – odpowiedział. – Sam się posmarujesz czy cię wyręczyć?

– Sam – powiedziałem.

– Fajnie – on na to.

Powiedział to z wyraźną ulgą.

– Wygląda na obolałego – stwierdził.

– Żebyś wiedział.

– Ale w trakcie musiało pewnie być ekstra? – spytał.

Zabrzmiało to, jakby mi zazdrościł, ale patrzył na mój członek bez odrobiny zawiści.

Potem zasnąłem jak zabity.

Tak się mówi.

VII

Rano jeszcze spałem, kiedy z głośnika odezwał się Abnesti:

– Pamiętasz, co było wczoraj?

– Tak – odparłem.

– Kiedy spytałem, której lasce dać Mrokflokss™, a ty powiedziałeś, że żadnej?

– Tak.

– Mnie to wystarczyło – ciągnął Abnesti. – Ale Komisja Protokolarna chce widać czegoś jeszcze. Trzej Jeźdźcy Analności są wciąż niezaspokojeni. Przyjdź tu zaraz i bierzmy się do roboty. Musimy przeprowadzić coś w rodzaju Procedury Potwierdzającej. Oj, będą jatki.

Wszedłem do Pajęczej Głowy.

W Drugiej Pracowience siedziała Heather.

– No więc tym razem – zaczął Abnesti – na życzenie Komisji Protokolarnej nie spytam cię, której dziewczynie dać Mrokflokss™, bo KomProt uważa, że to zbyt subiektywne, tylko sam potraktuję tę oto dziewczynę Mrokflokssem™, obojętne, co powiesz. A potem posłucham, co będziesz mówił. Tak samo jak wczoraj damy ci kroplówkę z... Verlaine? Ver-laine? Gdzie on się podział? Jesteś tam, Verlaine? Co właściwie jest w tej kroplówce? Masz przy sobie rozkaz na piśmie?

– Verbalux™, PrawGadka™, LuzNawij™ – powiedział Verlaine przez głośnik.

– Zgadza się – przytaknął Abnesti. – A uzupełniłeś mu MobiPak™? Ilości się zgadzają?

– Uzupełniłem – odparł Verlaine. – Zrobiłem to, kiedy spał. Zresztą już ci mówiłem.

– A ona? Uzupełniłeś jej MobiPak™? Ilości się zgadzają? – spytał Abnesti.

– Stałeś nade mną i patrzyłeś mi na ręce, Ray – przypomniał mu Verlaine.

– Przepraszam cię, Jeff – zwrócił się do mnie Abnesti. – Mamy tu dziś trochę napiętą sytuację. Czeka nas niełatwy dzień.

– Nie chcę, żebyś dał Heather Mrokflokss™ – powiedziałem.

– Ciekawe – zainteresował się Abnesti. – Czyżbyś ją kochał?

– Nie. Wolałbym, żebyś nikomu go nie dawał.

– Wiem, co masz na myśli. To uroczo z twojej strony. Ale zastanów się. Czy w Procedurze Potwierdzającej chodzi o to, co byś wolał? Niezupełnie. Mamy nagrać to, co powiesz, kiedy będziesz obserwował zachowanie Heather po Mrokflokssie™. Przez pięć minut. Bo tyle potrwa próba. Kroplić?

Nie powiedziałem „zatwierdzam".

– Powinno ci to pochlebiać – rzekł Abnesti. – Czy wybraliśmy Rogana? A może Keitha? Nie. Uznaliśmy, że twoja elokwencja jest bardziej współmierna z naszym zapotrzebowaniem na dane.

Nie powiedziałem „zatwierdzam".

– Dlaczego tak chronisz Heather? – nie dawał za wygraną Abnesti. – Myślałby kto, że ją kochasz.

– Nie – powiedziałem.

– Znasz w ogóle jej życiorys? Nie znasz. Prawo na to nie pozwala. Czy jest w nim whisky, gangi, dzieciobójstwo? Nie mogę ci powiedzieć. Ale czy wolno mi nieco marginalnie napomknąć, że w brutalnej i plugawej przeszłości Heather nie bardzo było miejsce na psa imieniem Lassie i mnóstwo rodzinnych rozmów o Biblii z udziałem szydełkującej babci, która co jakiś czas zmieniała pozycję, bo ogieniek w staroświeckim kominku aż prażył? Czy mogę zasugerować, że gdybyś wiedział o przeszłości Heather to co ja, nie wzdragałbyś się przed tym, żeby ją na chwilę zasmucić, przyprawić o mdłości albo i przerazić?

– Dobra, już dobra – powiedziałem.

– Znasz mnie – ciągnął Abnesti. – Ile mam dzieci?

– Piątkę.

– Jakie mają imiona?

– Mick, Todd, Karen, Lisa, Phoebe – wyliczyłem.

– Czy ja jestem jakiś potwór? – spytał Abnesti. – Czy nie pamiętam o urodzinach mieszkańców tego gmachu? Czy kiedy pewien osobnik dostał w którąś niedzielę grzybicy krocza, pewien inny osobnik nie pojechał własnym autem do apteki po krem i nie zapłacił z własnej kieszeni?

Był to wprawdzie z jego strony ładny gest, ale miałem wrażenie, że zachowuje się trochę nieprofesjonalnie, wypominając mi akurat teraz tamtą przysługę.

– Jeff – podjął. – Co mam ci powiedzieć? Zagrozić utratą piątków? Łatwo mogę to zrobić.

To już było podłe zagranie. Dobrze wiedział, jak mi zależy na piątkach. W każdy piątek rozmawiałem z mamą przez Skype'a.

– Ile czasu ci dajemy? – spytał Abnesti.

– Pięć minut.

– A jakbyśmy tak przedłużyli do dziesięciu?

Mama za każdym razem wyraźnie cierpiała, kiedy nasz czas się kończył. Moje aresztowanie o mało jej nie zabiło. Proces też. Wydała całe oszczędności, żeby mnie wydobyć z prawdziwego więzienia i przenieść tutaj. Kiedy byłem mały, jej długie włosy szatynki sięgały niżej talii. W czasie procesu je ścięła. A potem osiwiała. Ostatnio miała na głowie tylko jakby czepek z białego puszku.

– Kroplić? – spytał Abnesti.

– Zatwierdzam – powiedziałem.

– Mogę podkręcić twoje ośrodki mowy?

– Kręć.

– Halo, Heather – powiedział Abnesti.

– Dzień dobry! – ona na to.

– Kroplić?

– Zatwierdzam – powiedziała Heather.

Abnesti pstryknął pilotem.

Popłynął Mrokflokss™. Po chwili Heather cichutko zapłakała. Potem wstała i zaczęła chodzić po pokoju. I chrapliwie pokrzykiwać. Trochę nawet histerycznie.

– Nie podoba mi się to – powiedziała drżącym głosem.

I narzygała do kubła na śmieci.

– Mów, Jeff – upomniał mnie Abnesti. – Mów jak najwięcej, szczegółowo. Niech chociaż będzie z tego jakiś pożytek, dobrze?

Wszystko w mojej kroplówce działało na piątkę. Nagle się rozpoetyzowałem i w tym poetyckim stylu zacząłem komentować zachowanie Heather, a także swoje uczucia wobec jej poczynań. A czułem mniej więcej coś takiego: każdy człowiek rodzi się ze związku mężczyzny i kobiety. Każdy w chwili narodzin jest, a przynajmniej ma szansę być nade wszystko kochany przez matkę/ojca. Czyli każdy jest godzien miłości. Kiedy tak patrzyłem, jak Heather cierpi, przepełniła mnie wielka tkliwość, którą trudno było odróżnić od czegoś w rodzaju bezmiernych mdłości egzystencjalnych: czemu bowiem tak piękne, ukochane naczynia zniewala aż tak dojmująca męka? Heather sprawiała wrażenie wiązki receptorów bólu. Jej umysł był płynny i mógł zostać zniszczony (przez ból, przez smutek). Dlaczego? Czemu ją taką stworzono? Czemu tak kruchą?

Biedne dziecko – myślałem. – Biedna dziewczyno. Kto cię kochał? Kto cię kocha?

– Chwila, Jeff – powiedział Abnesti. – Verlaine! Co ty na to? Dostrzegasz w Werbalnym Komentarzu Jeffa jakąś pozostałość romantycznej miłości?

– Nie wydaje mi się – odparł Verlaine przez głośnik. – Wszystko to są przejawy dość podstawowych uczuć ludzkich.

– Znakomicie – ucieszył się Abnesti. – Ile czasu zostało?

– Dwie minuty – powiedział Verlaine.

Na to, co się potem działo, bardzo trudno mi było patrzeć. Będąc pod wpływem Verbaluksu™, PrawGadki™ i LuzNawiju™, nie mogłem też powstrzymać się od komentarzy.

W każdej Pracowni stała kanapa, biurko i krzesło, a wszystkie te sprzęty tak zaprojektowano, żeby nie dało się ich rozmontować. Otóż Heather przystąpiła do demontażu rzekomo niezniszczalnego krzesła. Zamiast twarzy miała rozjuszoną maskę. Walnęła głową w ścianę. Niby jakaś rozgniewana dziwożona ta oto Heather, czyjaś przecież ukochana, zdołała w napadzie furii napędzanej smutkiem zdemontować krzesło, nie przestając bić głową o ścianę.

– Jezu – westchnął Verlaine.

– Verlaine, weź się w garść – upomniał go Abnesti. – Nie płacz, Jeff. Wbrew temu, co ci się może zdaje, w płaczu niewiele jest cennych informacji. Użyj słów. Niech to wszystko nie pójdzie na marne.

Użyłem słów. Wylałem ich z siebie całe potoki, dbając o precyzję. Po wielekroć opisałem uczucia, jakie budził we mnie widok tego, co właśnie zaczęła robić Heather – zawzięcie, nieomal pięknie – z własną twarzą/głową za pomocą nogi od krzesła.

Trzeba to oddać Abnestiemu, że też był w nie najlepszym stanie: ciężko dyszał, policzki miał czerwone jak landrynki i bez przerwy pukał długopisem w ekran swojego iMaca, jak zawsze w chwilach stresu.

– Czas minął – oznajmił wreszcie i odciął pilotem dopływ Mrokflokssu™. – Kurwa. Leć tam, Verlaine. Ale już.

Verlaine poleciał do Drugiej Pracowienki.

– Powiedz coś, Sammy – rzekł Abnesti.

Verlaine zbadał puls Heather, a potem uniósł dłonie wnętrzem do góry jak Jezus, tyle że wstrząśnięty, a nie wniebowzięty, no i w okularach zsuniętych na czubek głowy.

– Robisz sobie ze mnie jaja? – spytał Abnesti.

– Co teraz? – spytał z kolei Verlaine. – Co ja mam...

– Ja pierniczę, jaja sobie ze mnie robisz?

Abnesti zerwał się z fotela, odepchnął mnie z drogi i przemknął drzwiami do Drugiej Pracowienki.

VIII

Wróciłem do Kwatery.

O trzeciej Verlaine powiedział przez głośnik:

– Jeff. Wróć, proszę, do Pajęczej Głowy.

Wróciłem do Pajęczej Głowy.

– Przykro nam, że musiałeś na to patrzeć, Jeff – powiedział Abnesti.

– To był nieprzewidziany wypadek – dodał Verlaine.

– Nieprzewidziany i niefortunny – dodał Abnesti. – I przepraszam, że cię pchnąłem.

– Ona nie żyje? – spytałem.

– No, jest w nie najlepszym stanie – przyznał Verlaine.

– Słuchaj, Jeff, takie rzeczy się zdarzają – powiedział Abnesti. – To jest nauka. W nauce badamy to, co niewiadome. Nie wiadomo było, jak Heather zniesie pięć minut Mrokflokssu™. Teraz już to wiemy. Tak jak i to, że – zgodnie z tym, jak Verlaine ocenił twój komentarz – naprawdę i bez wątpienia nie zachowałeś ani odrobiny romantycznych uczuć wobec Heather. To wielka sprawa, Jeff. Promyk nadziei dla wszystkich w tych smutnych czasach. Nawet kiedy Heather, by tak rzec, porwało morze, niezachwianie trwałeś w postawie braku jakiejkolwiek romantycznej miłości do niej. Wyobrażam sobie, co powie KomProt: „O rany, instytut z Utica naprawdę wysforował się na czoło w kategorii dostarczania niesamowitych danych odnośnie do ED289/290".

W Pajęczej Głowie było zupełnie cicho.

– Wyjdź, Verlaine – powiedział Abnesti. – Idź robić swoje. Przygotuj wszystko.

Verlaine wyszedł.

– Myślisz, że byłem zachwycony? – spytał Abnesti.

– Nie wyglądałeś na zachwyconego – powiedziałem.

– Bo i nie byłem – odparł. – Cierpiałem katusze. Jestem człowiekiem. Coś przecież czuję. Ale pominąwszy osobisty smutek, poszło świetnie. W sumie znakomicie się spisałeś. Wszyscy znakomicie się spisaliśmy. Zwłaszcza Heather się spisała. Mam dla niej wiele szacunku. Spróbujmy… spróbujmy po prostu jakoś przez to przejść, dobra? Dopnijmy sprawę. Dopnijmy kolejny etap Procedury Potwierdzającej.

Do Czwartej Pracowienki weszła Rachel.

IX

– Damy jej Mrokflokss™? – spytałem.

– Zastanów się, Jeff – powiedział Abnesti. – Jak możemy mieć pewność, że nie kochasz żadnej z nich, skoro dysponujemy wyłącznie danymi odnośnie do twojej reakcji na to, co się niedawno stało z Heather? Rusz mózgownicą. Nie jesteś uczonym, ale przecież po całych dniach pracujesz wśród naukowców. Kroplić?

Nie powiedziałem „zatwierdzam".

– O co chodzi, Jeff? – spytał Abnesti.

– Nie chcę zabić Rachel – odparłem.

– A kto chce? Może ja? Albo ty, Verlaine?

– Nie chcę – powiedział Verlaine przez głośnik.

– Jeff, ty chyba za dużo główkujesz – rzekł Abnesti. – Czy Mrokflokss™ może zabić Rachel? Jasne, że tak. Mamy już precedens w osobie Heather. A nuż Rachel okaże się silniejsza? Na oko wydaje się większa.

– Właściwie jest trochę drobniejsza – skorygował Verlaine.

– Może będzie odporniejsza – powiedział Abnesti.

– Dobierzemy jej dawkę proporcjonalnie do wagi ciała – oświadczył Verlaine. – I tyle.

– Dziękuję, Verlaine – rzekł Abnesti. – Dziękuję, że to wyjaśniłeś.

– Może byś mu pokazał akta – podsunął Verlaine.

Abnesti podał mi teczkę Rachel.

Wrócił do nas Verlaine.

– Czytaj i płacz – powiedział.

Z akt wynikało, że Rachel ukradła matce biżuterię, ojcu samochód, siostrze pieniądze, a z miejscowego kościoła święte figury. Narkotyki zaprowadziły ją do więzienia. Po czterech odsiadkach za dragi poszła na odwyk, a potem na resocjalizację dla prostytutek i wreszcie na tak zwany ododwyk, przeznaczony dla ludzi, którzy byli już na tylu odwykach, że się na nie całkowicie uodpornili. Ale nawet on widać nie zrobił na niej wrażenia, bo właśnie po nim wykonała rekordowy numer, czyli potrójne morderstwo: zabiła swojego dilera, jego siostrę i chłopaka tej siostry.

Kiedy czytałem o tym wszystkim, czułem się trochę nieswojo na myśl, że ją przeleciałem, a nawet pokochałem.

Ale i tak nie chciałem jej zabić.

– Jeff – powiedział Abnesti. – Wiem, że dużo pracowałeś z panią Lacey nad tą sprawą. Nad zabijaniem i tak dalej. Ale tutaj nie ty jesteś sprawcą, tylko my.

– Nawet nie tyle my – wtrącił Verlaine – ile nauka.

– Mandat nauki – podchwycił Abnesti. – Oraz jej dyktat.

– Nauka bywa wredna – stwierdził Verlaine.

– Na jednej szali, Jeff – powiedział Abnesti – mamy parę minut nieprzyjemności dla Heather…

– Rachel – poprawił go Verlaine.

– Parę minut nieprzyjemności dla Rachel – podjął Abnesti – a na drugiej całe lata ulgi dla dosłownie dziesiątków tysięcy ludzi, hipo- albo hiperkochliwych.

– Przeprowadź rachunek, Jeff – powiedział Verlaine.

– Łatwo jest robić małe dobre uczynki – ciągnął Abnesti. – Trudniej czynić dobro na wielką skalę.

– Kroplić? – spytał Verlaine. – Jeff?

Nie powiedziałem „zatwierdzam".

– Kurwa, dosyć tego – zaklął Abnesti. – Verlaine, jak się nazywa ten tam...? Ten środek, po którym on spełni każdy mój rozkaz?

– PotuLek™ – podpowiedział Verlaine.

– A on ma PotuLek™ w swoim MobiPaku™?

– Każdy go ma w swoim MobiPaku™.

– A czy on musi zatwierdzić?

– PotuLek™ jest środkiem klasy C, więc... – powiedział Verlaine.

– Słuchaj, na moje oko to ma zero sensu – zdenerwował się Abnesti. – Po kiego nam środek wymuszający posłuszeństwo, skoro nie możemy go zastosować bez zgody delikwenta?

– Musimy tylko załatwić dokument rezygnacji.

– Jak długo będziemy się z tym pieprzyć?

– Zafaksujemy do Albany, a oni nam odfaksną – powiedział Verlaine.

– Chodź, chodź, pospiesz się – rzekł Abnesti i obaj wyszli, zostawiając mnie samego w Pajęczej Głowie.

X

Było mi smutno. Ogarnął mnie smutek i poczucie klęski na myśl, że za chwilę wrócą i dadzą mi PotuLek™, a ja powiem „zatwierdzam", i to z miłym uśmiechem, tak jak każdy, kogo potraktowano PotuLekiem™, i wtedy Mrokflokss™ pomału wsączy się w Rachel, a ja zacznę opisywać pospiesznie i mechanicznie jak robot (bo tak się właśnie opisuje po Verbaluksie™/PrawGadce™/LuzNawiju™) wszystko, co ona sobie zrobi.

Gdybym chciał znów zostać zabójcą, wystarczyło siedzieć i czekać.

Trudno mi to było przełknąć po tylu sesjach z panią Lacey.

– Koniec z przemocą, nigdy więcej gniewu – kazała mi w kółko powtarzać. A potem musiałem szczegółowo przypominać sobie tamtą fatalną noc.

Miałem dziewiętnaście lat. Mike Appel miał siedemnaście. Obaj byliśmy nawaleni jak szpadle. Przez cały wieczór mi przysrywał. Był mniejszy, młodszy, mniej lubiany. I nagle zaczęliśmy się tarzać po ziemi przed wejściem do Frizzy'ego. Mike był szybki. I podstępny. Przegrywałem. Nie mogłem w to uwierzyć. Byłem większy i starszy, a mimo to przegrywałem? Praktycznie wszyscy znajomi stali dookoła i się gapili. W końcu Mike położył mnie na łopatki. Ktoś się roześmiał. Ktoś powiedział: „Kurwa, biedny Jeff". Niedaleko leżała cegła. Złapałem ją i lekko puknąłem Mike'a w głowę. I zaraz byłem na wierzchu.

Mike poddał mecz. Leżał na wznak z rozciętą, krwawiącą głową i poddał mecz w ten sposób, że spojrzał na mnie, jakby mówił „stary, wyluzuj, przecież tu o nic ważnego nie chodzi, no nie?".

Właśnie że chodziło.

Mnie w każdym razie.

Nawet nie wiem, dlaczego to zrobiłem.

Jakby przez to całe chlanie i to, że byłem szczeniakiem i o mało co nie przegrałem, włączyła mi się kroplówka z jakimś Vnervem albo czymś.

SzajbFurią.

CVDemolem.

– Hej, chłopaki! – zawołała Rachel. – Co dzisiaj robimy?

Widziałem jej kruchą głowę, nietkniętą twarz, uniesioną rękę, którą podrapała się w policzek, nerwowo skoczne nogi, chłopską spódnicę też skoczną i skrzyżowane pod jej rąbkiem stopy w chodakach.

Za chwilę miała z tego wszystkiego zostać nieruchoma bryła na podłodze.

Musiałem pomyśleć.

Po co chcieli zmrokflokssować Rachel? Żeby posłuchać, jak to opisuję. Gdyby mnie tam nie było, nie mógłbym nic opisać, więc by jej nie zmrokflokssowali. Co mogłem zrobić, żeby tam nie być? Mogłem wyjść. Ale jak? Z Pajęczej Głowy prowadziły na zewnątrz tylko jedne drzwi, które automatycznie się zatrzaskiwały, a za nimi czekał Barry albo Hans z elektryczną różdżką, zwaną DyscyKijkiem™. Czy mogłem zaczekać, aż wróci Abnesti, zgłuszyć go, spróbować przebiec obok Barry'ego albo Hansa i rzucić się do głównych drzwi?

Jakaś broń w Pajęczej Głowie? Nie. Tylko urodzinowy kubek Abnestiego, para butów do biegania, paczka miętówek i pilot.

Pilot?

A to palant. Powinien stale nosić pilota przypiętego do pasa, bo inaczej ktoś z nas mógłby przejrzeć Listę Środków i poczęstować się czymś, co znalazłby dzięki niej w swoim MobiPaku™: Bonvivem™, BłogoCzasem™ czy GazElą™.

Albo Mrokflokssem™.

Jezu. To była jedyna droga na wolność.

Ale straszna.

Akurat wtedy Rachel w Czwartej Pracowience chyba pomyślała, że w Pajęczej Głowie nikogo nie ma, więc wstała i radośnie zatańczyła w miejscu jak wesoła wieśniaczka, która właśnie wyszła przed chałupę i widzi, że drogą nadchodzi jej ukochany ćwok z cielęciem albo czym inszym pod pachą.

Dlaczego tańczyła? Bez powodu.

Pewnie po prostu czuła, że żyje.

Czas uciekał.

Pilot był dobrze oznakowany.

Poczciwy Verlaine.

Pstryknąłem pilotem i zaraz go wrzuciłem do przewodu grzewczego na wypadek, gdybym zmienił zdanie, a potem stanąłem i nie mogłem uwierzyć, że naprawdę to zrobiłem.

Mój MobiPak™ zawibrował.

Popłynął Mrokflokss™.

I zaczęła się groza, jeszcze gorsza, niż się spodziewałem. Już po chwili wsadziłem rękę na kilometr w przewód grzewczy. Potem zataczałem się po Pajęczej Głowie, szukając czegoś, byle czego. W końcu zrobiło się tak koszmarnie, że zrobiłem to sobie rogiem biurka.

Czym jest śmierć?

Chwilowym brakiem granic.

Poszybowałem na wylot przez dach.

I zawisłem nad nim, patrząc w dół. Zobaczyłem, że Rogan ogląda w lustrze tatuaż na swojej szyi. Keith rozebrany do majtek robił na przemian pompki i przysiady. Byli tam też Ned Riley, B. Troper, Gail Orley, Stefan DeWitt, mordercy jeden w drugiego i chyba sami źli ludzie, chociaż akurat wtedy widziałem to inaczej. W momencie narodzin Bóg przydzielił im zadanie: wyrosnąć na kompletnych popaprańców. Czy wybrali sobie ten los? Czy spadł na nich z ich własnej winy, kiedy wyturlali się z łona? Czy jeszcze zanim ich obmyto z łożyskowej krwi, ambitnie postanowili zostać krzywdzicielami, mrocznymi rycerzami, eksterminatorami? Czy w owej najpierwszej, świętej chwili tchnienia/świadomości (gdy maleńkie piąstki to zamykały się, to otwierały) ich najczulej hołubioną nadzieją było to, że kiedyś (spluwą, nożem albo cegłą) pogrążą w żałobie jakąś rodzinę? Nie; a jednak drzemało już w nich to wykoślawione przeznaczenie, jego nasiona oczekiwały wody i światła, aby wydać z siebie najokrutniejsze, najbardziej trujące kwiecie, rzeczoną zaś wodą/światłem była nieodzowna kombinacja skłonności neurologicznych i bodźców środowiskowych, które miały przeistoczyć ich (przeistoczyć nas!) w najpodlejsze ochłapy tej ziemi, w morderców, i splugawić ostatecznym, niezmywalnym występkiem.

O rany – pomyślałem. – Czyżby w tej kroplówce był jakiś Verbalux™ albo co?

Nic podobnego.

Teraz to już byłem ja sam.

Zawadziłem o coś i uwiązłem na biegnącej wzdłuż dachu rynnie, przykucnięty jak zwiewna chimera. Byłem tam, a zarazem wszędzie. Widziałem wszystko: bryłkę sklejonych liści w rynnie pod moją przezroczystą stopą; mamę, biedną mamę, która u siebie w Rochester szorowała prysznic i dla dodania sobie otuchy coś cichutko nuciła; jelenia obok śmietników, który nagle wyczuł moją widmową obecność; mamę Mike'a Appela, też w Rochester – kościsty, oszalały z rozpaczy zygzak na wąskim łóżku syna; widziałem, jak pode mną Rachel w Czwartej Pracowience podchodzi do weneckiego lustra, zwabiona odgłosami mojego umierania; jak Abnesti i Verlaine wbiegają do Pajęczej Głowy, a potem Verlaine klęka, żeby mnie wskrzesić metodą krążeniowo-oddechową.

Zapadał zmierzch. Śpiewały ptaki. Nasunęło mi się takie określenie, że one odprawiają frenetyczne pożegnanie dnia. Przejawiały się jako wielobarwne końcówki nerwów ziemi, a zachód słońca pobudzał je, napełniając każdego z osobna nektarem życia, który potem wylewał się w świat z poszczególnych krtani w formie jedynej w swoim rodzaju pieśni tego akurat ptaka – wypadkowej kształtu dzioba i gardła, konfiguracji klatki piersiowej i procesów chemicznych w mózgu: jedne ptaki błogosławiły śpiewem, inne klęły; jeszcze inne biadoliły, a niektóre zachłystywały się własnym zachwytem.

I nagle jakiś dobrotliwy byt skądciś zapytał:

– Chciałbyś wrócić? To zależy wyłącznie od ciebie. Twoje ciało jest chyba do odratowania.

Nie – pomyślałem. – Piękne dzięki, mam już dość.

Żal mi było tylko mamy. Miałem nadzieję, że kiedyś, w jakimś lepszym miejscu, zdołam jej to wszystko wytłumaczyć i może będzie ze mnie dumna ten jedyny, ostatni raz, po tylu latach.

Za lasem ptaki jakby jednomyślnie zerwały się z drzew i pomknęły w górę. Dołączyłem do stada i pofrunąłem z nimi, a one nie widziały różnicy między sobą a mną, więc byłem szczęśliwy, bardzo szczęśliwy, bo po raz pierwszy od lat nie zabiłem i już przenigdy nie miałem zabić.

Napomnienie

Okólnik

DATA: 6.04

DO: personelu

OD: Todda Birnie'ego, szefa komórki

RE: Osiągi za marzec

Nie chciałbym uderzać w błagalny ton, aczkolwiek dalszy ciąg niniejszej wypowiedzi może jeszcze tak właśnie zabrzmieć (!). No bo widzicie, stoi przed nami pewne zadanie i poświadczyliśmy czynem, że je wykonamy (nie wiem, czy pobraliście ostatnią wypłatę, bo ja tak, ha, ha, ha). Zobowiązaliśmy się też – że posunę się o krok dalej – wykonać je należycie. Otóż jak nam wszystkim wiadomo, nic tak nie utrudnia należytego wykonania roboty jak negatywne podejście. Mamy, dajmy na to, półkę do sprzątnięcia. Weźmy to jako przykład. Jeżeli przed sprzątnięciem półki będziemy przez godzinę wyrażać się krytycznie o tym zadaniu, narzekać na nie i bać się go, analizując moralne niuanse sprzątania półek i tak dalej, proces sprzątania półki wyda nam się trudniejszy, niż tak naprawdę jest. Doskonale zdajemy sobie sprawę, że – zważywszy na obecny klimat – „półkę" tak czy owak sprzątniemy albo my sami, albo facet, który nas zastąpi i zgarnie naszą wypłatę, więc wszystko sprowadza się do pytania: Wolę sprzątnąć półkę z radością czy ze smutkiem? Która metoda będzie skuteczniejsza (dla mnie). Która pozwoli mi skuteczniej osiągnąć cel? I do czego właściwie dążę? Do tego, żeby mi zapłacono. Jak najłatwiej to osiągnę? Sprzątając półkę dokładnie i szybko. A jaki stan ducha pomoże mi zrobić to właśnie tak? Czyżby pomocny mógł tu być stan negatywny? Negatywna postawa umysłowa? Dobrze wiecie, że nie. A zatem sednem niniejszego okólnika jest pozytywność. Dzięki pozytywnemu nastawieniu sprzątniecie półkę dokładnie i szybko, osiągając tym samym cel, czyli otrzymanie wypłaty.

Co wam właściwie radzę? Żebyście gwizdali przy pracy? Może i tak. Rozważmy podniesienie ciężkiego ścierwa, na przykład wieloryba. (Przepraszam za te pomysły z półką i waleniem, ale dopiero co wróciliśmy z naszego domu na wyspie Reston, gdzie zastaliśmy 1) mnóstwo brudnych półek i 2) rzecz nie do wiary: autentycznie martwego gnijącego wieloryba, którym Timmy, Vance i ja zajęliśmy się pod kątem uprzątnięcia). No więc powiedzmy, że musicie z kolegami wywindować na ciężarówkę martwego walenia.

Każdy wie, że to trudne. A jeszcze trudniej byłoby to zrobić z negatywnym nastawieniem. Otóż Timmy, Vance i ja przekonaliśmy się, że nawet przy neutralnym nastawieniu jest to mordercza robota. Próbowaliśmy podnieść wielorybi zewłok, zachowując neutralną postawę, Timmy, Vance, ja i jeszcze kilkanaście osób, ale nie mogliśmy ruszyć z miejsca, dopóki jeden facet, który służył kiedyś w piechocie morskiej, nie zarządził, że duch potrzebuje wziąć górę nad materią, więc ustawił nas w kółeczko i kazał powtarzać taką jakby mantrę. To nas „podkręciło". Wiedzieliśmy – aby rozwinąć powyższą analogię – że mamy zadanie do wykonania, i ta myśl jakoś tak nas podniecіła, że postanowiliśmy wzbudzić w sobie pozytywne nastawienie, i mówię wam, naprawdę coś w tym było, to była frajda, kiedy wieloryb zawisł w powietrzu dzięki trudowi naszych rąk i mocnym pasom, które ten morski piechociarz miał w furgonetce, i przyznam, że wywindowanie tego martwego gnijącego walenia na ciężarówkę wspólnymi siłami zupełnie obcych ludzi okazało się najjaśniejszym momentem całej wycieczki.

Ale do czego ja właściwie zmierzam? Otóż mówię wam (i to z żarliwym zapałem, bo sprawa jest wielkiej wagi): Postarajmy się w miarę możności wystrzegać narzekania i wątpienia w siebie w obliczu zadań, które czasem tu na nas spadają i niekoniecznie wydają się od razu takie znowu przyjemne. I jeszcze mówię, starajmy się nie rozbierać każdej poszczególnej czynności na czynniki pierwsze pod kątem tego, czy w ostatecznym rozrachunku jest moralnie dobra/zła/obojętna. Od dawna na to nie pora. Mam nadzieję, że każdy odbył już sam ze sobą tę rozmowę niecały rok temu, kiedy się to wszystko zaczęło. Wkroczyliśmy na określoną drogę i (jak ustaliliśmy przed rokiem) mieliśmy po temu jak najlepsze powody, a skorośmy już na nią wkroczyli, czy nie byłoby to poniekąd samobójstwem, gdybyśmy pozwolili neurotycznym rozterkom spowolnić nasz marsz ową drogą? Czy któryś z was zamachnął się kiedyś młotem? Wiem, że niektórzy mieli okazję. Wiem, że część z was to robiła, kiedy burzyliśmy patio Ricka. Czy to nie frajda, wyzbyć się hamulców i tylko walić z góry w dół, zdając się na grawitację? Mówię wam, panowie, zdajcie się na nią właśnie tu, w okolicznościach służbowych: Walcie ile sił, poddając się naturalnym uczuciom, które – jak nieraz widywałem – u wielu z was wyzwalają mnóstwo wspaniałej energii, dzięki czemu wykonujecie powierzone zadania z werwą, bez żadnych rozterek i neurotycznych myśli. Pamiętacie, jak Andy miał w październiku ten rekordowy tydzień, kiedy dwukrotnie przekroczył swoją zwykłą liczbę jednostek? Pomijając wszystko inne i chwilowo odsuwając na bok wszelkie ckliwe myślątka o słuszności/niesłuszności itd., itp., czy nie był to imponujący widok? Sam w sobie i przez się? Gdyby każdy z nas głęboko w siebie wejrzał, czy nie okazałoby się, że troszkę Andy'emu zazdrościmy? Boże, walił na całego i widać było, że rozpiera go radosna energia, kiedy mijał nas biegiem, bo znowu mu zabrakło papierowych ręczników. A myśmy stali z takimi minami, jakbyśmy pytali: O rany, Andy, co w ciebie wstąpiło? Wyniki miał rekordowe, trudno zaprzeczyć. Wiszą na widoku w pokoju socjalnym, bez porównania lepsze od naszych, i aczkolwiek od tamtej pory nie dał rady ich powtórzyć, to po pierwsze, nikt nie ma mu tego za złe, bo i tak zaliczył nadzwyczajne osiągi, a po drugie, wierzę, że nawet jeżeli nigdy ich nie powtórzy, zachowa w głębi duszy wspomnienie tej wspaniałej energii, która biła od niego w owym pamiętnym październiku. Szczerze mówiąc, nie sądzę, żeby mógł odnieść ten październikowy sukces, gdyby się ze sobą cackał albo pozwalał sobie na neurotyczne rozterki i chwiejność, prawda? Wykluczone. On jednak sprawiał wrażenie totalnie skupionego, ani trochę niezajętego sobą, znać było po minie, może na okoliczność nowo narodzonego dziecka? (Jeżeli tak, to Janice powinna rodzić co tydzień, ha, ha).

W każdym razie właśnie w październiku Andy wszedł – przynajmniej jak dla mnie – do czegoś w podobie de facto panteonu i jest odtąd w znacznej mierze wyjęty spod ścisłego nadzoru odnośnie do wydajności, a przynajmniej ja go nie nadzoruję. Choćby był nie wiem jak niepocieszony i zamknięty w sobie (a chyba wszyscy zauważyliśmy, że od października taki właśnie jest), nie przyłapiecie mnie na ścisłym nadzorowaniu jego wydajności, aczkolwiek za innych nie mogę ręczyć, inni może obserwują jej niepokojący spadek, chociaż mam szczerą nadzieję, że tego nie robią, byłoby to zresztą niezbyt sprawiedliwe, i wierzcie mi, że jeżeli dojdą mnie słuchy o takim nadzorze, na pewno dam znać Andy'emu, a gdyby był zanadto przygnębiony, żeby mnie wysłuchać, zadzwonię na jego domowy numer i pogadam z Janice.

A czemu to mianowicie Andy jest taki niepocieszony? Na mój rozum pewnie się znerwicował i roztrząsa to, co robił w październiku, a czy nie byłaby to wielka szkoda i w ogóle klapa, gdyby po październikowym rekordzie usiadł teraz, żeby labidzić nad własnym sukcesem? Czy labidzenie coś zmieni? Czy cofa to, co Andy zrobił pod kątem zadań, które mu przydzieliłem do wykonania w pokoju numer sześć, czy jego osiągom na ścianie w socjalnym jakimś cudem ubywa zer, a ludzie nagle wychodzą z szóstki, znów cali i zdrowi? Wiadomo, że nie. Nikt nie wychodzi z szóstki cały i zdrów. Nawet wy, którzy robicie w szóstce to, co zrobić trzeba, nie wychodzicie z niej w takim znowu różowym nastroju. Wiem, bo sam robiłem tam rzeczy, po których czułem się dość mikro, wierzcie mi, nikt nie zaprzeczy, że szóstka potrafi człowiekowi dać w kość, bo odwalamy tam najczarniejszą robotę. Ale ci z góry, co przydzielają nam zadania, widać uważają, że nasza praca w szóstce jest nie tylko c i ę ż k a, ale też w a ż n a, i pewnie dlatego zaczęli uważnie się przyglądać naszym wynikom. I zapewniam was, jeżeli chcecie, żeby szóstka jeszcze bardziej dawała wam w kość, zamartwiajcie się tą robotą przed, po i w trakcie, a wtedy będzie wam ona dosłownie śmierdzieć, no i przez to zamartwianie wydajność jeszcze bardziej spadnie, a wiecie co? Ona już nie ma prawa niżej spaść. Na radzie wydziału powiedziano mi bez ogródek, że nasze wyniki nie mają prawa ani trochę się pogorszyć. Odparłem (a wierzcie mi, trzeba było mieć do tego sporo ikry, zważywszy na atmosferę podczas narady): Słuchajcie, moi chłopcy są zmęczeni, odwalamy ciężką robotę, fizycznie zarówno, jak psychicznie. I zapewniam was, że na sali zapadło ogłuszające milczenie. Dosłownie ogłuszające. I posłano mi parę bynajmniej nie życzliwych spojrzeń. I przypomniano bez ogródek, ustami samego Hugh Blancherta, że nasza wydajność nie ma prawa spaść. I kazano przypomnieć wam, a raczej nam wszystkim, łącznie ze mną samym, że jeżeli nie damy rady sprzątnąć wyznaczonej „półki", to nie tylko przyślą kogoś, kto ją sprzątnie, ale my sami możemy na niej wylądować, a nawet stać się „półką", na której ktoś wyładuje dobrą, pozytywną energię. A chyba sobie wyobrażacie, jak byście wtedy żałowali i byłoby po was znać ten żal, bo nieraz go przecież widujemy w szóstce na twarzach „sprzątanych" „półek", więc proszę, nie gryząc się w język, dajcie z siebie wszystko, żebyście nie skończyli jako „półka", którą my, wasi dawni koledzy, chcąc nie chcąc, będziemy musieli sprzątnąć, wyczyścić całą swoją pozytywną energią, na nic się nie oglądając, w pokoju numer sześć.

Wyraźnie mi to uświadomiono na radzie wydziału, a teraz próbuję uświadomić to wam.

Strasznie się rozpisałem, ale wstąpcie, proszę, do mojego gabinetu, niech tam zajrzy każdy, kto ma wątpliwości, kto przeżywa rozterkę pod kątem naszych działań, a ja wam pokażę zdjęcia tego niesamowitego wieloryba, którego razem z synami podniosłem dzięki dobrej, pozytywnej energii. I oczywiście ta informacja, a mianowicie ta, że macie wątpliwości i zaszliście do mojego gabinetu, zostanie w jego czterech ścianach, aczkolwiek jestem pewien, że nie muszę nawet tego mówić nikomu z was, skoro znacie mnie tyle lat.

Wszystko będzie dobrze, wszystko się ułoży itd., itp.

Todd

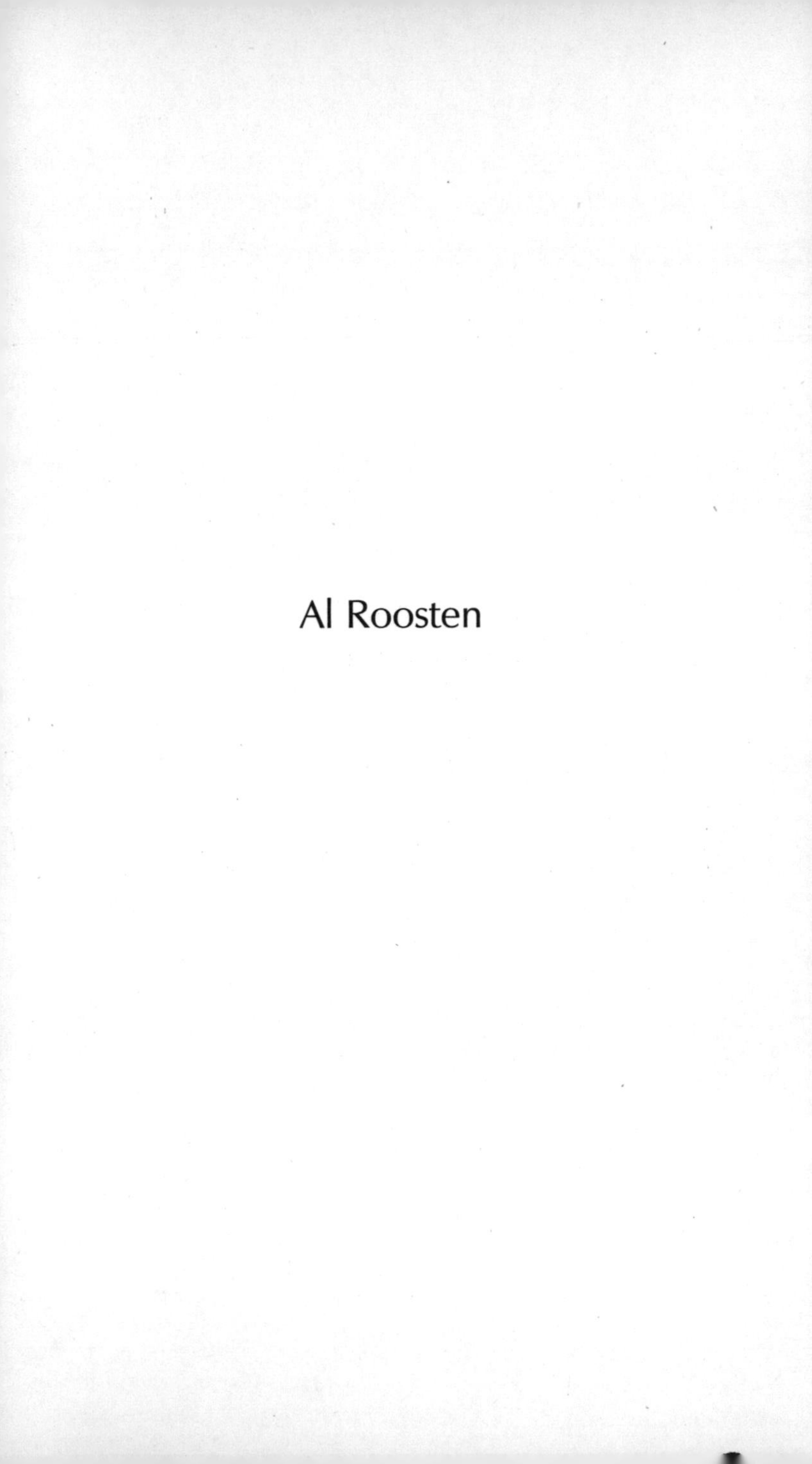

Al Roosten

Al Roosten stał za papierowym parawanem i czekał. Zdenerwowany? Owszem, trochę. Ale pewnie i tak dużo mniej, niż byłaby na jego miejscu większość ludzi. Oni chyba już by się tymczasem zsikali. A on się zsikał? Jeszcze nie. Chociaż właściwie rozumiał, czemu można dosłownie…

– Dajmy ognia! – krzyknęła MC, blondyna w typie futbolowej fanki, za stara na warkocze, a mimo to z warkoczami, które zafurkotały w powietrzu, kiedy nie wiadomo po co zaczęła udawać, że biegnie w miejscu. – Zwalczamy tu narkotyki czy nie? Owszem, zwalczamy! Czy my, przedsiębiorcy, zgadzamy się, żeby nasze dzieci się narkotyzowały? Wykluczone, nie ma zgody, jesteśmy zdecydowanie przeciw! A czy sami się narkotyzujemy? Dzieci, mówię do tych z was, które tu są: wierzcie mi, nic nie bierzemy i nigdy nie braliśmy! Jako zawodowa konsultantka od feng shui wiem, że na kraku w żaden sposób bym się nie wyrobiła, bo moja praca polega na wyczuwaniu pól energetycznych, a jak się człowiek urąbie krakiem albo haszem czy choćby wypije za dużo kawy, całe pole energetyczne jest rozchwiane, wierzcie mi, wiem, co mówię, sama dawniej paliłam!

Działo się to w porze lunchu, na aukcji Miejscowych Celebrytów, przy czym Miejscowym Celebrytą zostawał każdy frajer, który okazał się wystarczającym durniem, żeby wyrazić zgodę, kiedy Izba Handlowa poprosiła go o wzięcie udziału.

– I dlatego zbieramy tu pieniądze na akcję Dzieciom Śmiech Zamiast Kraku i na jej antynarkotykowych klaunów! – krzyknęła blondyna. – Na przykład dla Pana Spieprza, bo on w szkołach nadmuchuje balon w kształcie szklanej fajki, która zamienia się w trumnę, co wydaje mi się bardzo prawdziwe!

Nieopodal stał w samych kąpielówkach Larry Donfrey, pośrednik od nieruchomości. Porządny gość. Porządny, ale nie całkiem udany. Niezbyt bystry. Zawsze opalony. Czy był przystojny? Miły? Czy była obawa, że spodoba się oferentom bardziej niż Roosten? Och, skąd niby Al miał to wiedzieć? Czy podobali mu się faceci? Był może koneserem męskiej urody?

Nie, nie podobali mu się faceci, nigdy w życiu.

Owszem, jeszcze w gimnazjum przez pewien czas odrobinę się niepokoił, czy aby mu się nie podobają, więc ciągle przegrywał w zapasach, ponieważ zamiast się skupić na chwytach, wciąż się zastanawiał, czy ptaszek w ochraniaczu boli go, bo mu troszkę stanął, czy raczej dlatego, że czubek wystaje przez otworek wentylacyjny, a raz prawie na pewno dostał lekkiej stójki, kiedy Tom Reed chwycił go za głowę i przycisnął twarzą do swojego twardego sześciopaka, który pachniał kokosem, lecz gdy po treningu Al poszedł do lasu i zaczął obsesyjnie nad tym się zastanawiać, przypomniał sobie, że czasem też mu leciutko staje, kiedy kot w plamie słońca siada mu na kroczu, co dowodziło, że Tom Reed nie budzi w nim żadnych uczuć seksualnych, bo przecież Al z całą pewnością nie odczuwał najmniejszego pociągu do kota, skoro nigdy nawet nie słyszał, żeby taki pociąg można było odczuwać. I od tamtej pory za każdym razem, kiedy łapał się na tym, że znowu się zastanawia, czy aby jednak nie podobają mu się faceci, wspominał, jak wtedy spacerował po lesie, ogarnięty euforią, uświadomiwszy sobie z ulgą, że nie pociągają go ani trochę bardziej niż koty, i radośnie strącał kopniakami kapelusze grzybów, tak mu ogromnie ulżyło.

Zabrzmiało coś w rodzaju muzyki, czyli głośne niskie dudnienie, urozmaicone kobiecymi jękami oraz dźwiękami podobnymi do skrzypienia drzwi, a Larry Donfrey przeszedł się po wybiegu, wzniecając nagłą falę radosnych okrzyków i wiwatów.

Co jest, cholerka? – pomyślał Roosten. Wiwaty? Okrzyki? Czy jego też okrzykną? Powitają wiwatami? Wątpił w to. Kto by tam krzyczał/wiwatował na widok pulchnego łysonia w kostiumie gondoliera?

Gdyby był kobietą, też wiwatowałby/krzyczał na cześć Donfreya o prężnym tyłku i falujących, opalonych na brąz bicepsach.

Blondyna dała mu znak, wskazując go palcem i nie przestając maszerować w miejscu.

O Boże o Boże.

Ostrożnie wychynął zza papierowego ekranu. Nikt nie wiwatował. Wszedł na wybieg. Żadnych okrzyków. Sala brzmiała tak, jak przeważnie brzmi, kiedy powstrzymuje się od śmiechu. Spróbował uwodzicielsko się uśmiechnąć, ale miał za sucho w ustach. Pewnie widać mu było żółte zęby i obsunięte w jednym miejscu dziąsło.

Zastygły w ostrym świetle punktowca, wyglądał jak stary wariat, żałosny, ale szczątkowo arogancki, więc w sali zapanowała atmosfera stężonego skrępowania, które – gdyby nie charytatywny cel imprezy – mogłoby się rozładować w obelżywych okrzykach lub rzucaniu przedmiotami, lecz tym razem skończyło się na litościwym „juhuu!" z okolic baru sałatkowego.

Roosten rozpromienił się i z ulgą, choć niezbyt zdecydowanie, pomachał ręką w kierunku, z którego dobiegł okrzyk, a ponieważ tym niezręcznym gestem mimo woli zdradził, jaki jest przerażony, zjednał sobie tłum, który zaledwie przed chwilą gotów był go wydrwić, więc znowu ktoś litościwie juhnął, a Roosten wyszczerzył się od ucha do ucha w głupawym uśmiechu, wywołując falę litościwego aplauzu.

Nie dosłuchał się w nim jednak litości. Co za supernatężenie wiwatów i okrzyków! Powinien napiąć muskuły. Postanowił, że je napnie. No i napiął. Natężenie okrzyków i wiwatów tak przez to wzrosło, że wydały się Alowi co najmniej równie głośne jak te, którymi powitano Donfreya. A on paradował prawie na golasa. Czyli Al Roosten, praktycznie rzecz biorąc, go pokonał, skoro Donfrey musiał się rozebrać do goła, żeby chociaż wyjść na remis.

Ha, ha, biedny Donfrey! Lata w samych majtkach i nic z tego nie ma.

Blondyna zarzuciła Roostenowi na głowę siatkę na motyle, więc wszedł w ślad za Donfreyem do tekturowego aresztu.

Ponieważ już zmiażdżył Donfreya, poczuł do niego raptowną sympatię. Poczciwy Donfrey. Obaj byli bliźniaczymi filarami miejscowej społeczności przedsiębiorców. Roosten niezbyt dobrze znał się z Donfreyem. Tylko go z daleka podziwiał. Z wzajemnością. Kiedyś cały klan Donfreyów wmaszerował gęsiego do Przebrzmiałej Chwały, czyli sklepu Roostena. Żona Donfreya była piękna: zgrabne nogi, smukłe plecy, długie włosy. Wystarczyło raz na nią spojrzeć, żeby nie móc wzroku oderwać. Młodzi Donfreyowie też świetnie się prezentowali: dwoje androgynów o urodzie elfów uprzejmie debatowało na nie wiadomo jaki temat, może historii sądu najwyższego?

Każdy celebryta miał w tekturowym areszcie własne zakratowane okienko. Donfrey odsunął się od swojego i podszedł do Roostena. Uprzejmie z jego strony. Co za klasa. Utną sobie pogawędkę. Tłum będzie zazdrośnie się zastanawiał, o czym też bliźniacze filary gawędzą na stronie. Ale niestety, była to rozmowa filarów. Nie dla uszu gawiedzi.

Donfrey coś mówił, lecz muzyka ryczała, a Roosten miał nadwerężony słuch.

Pochylił się w stronę tamtego.

– Powiedziałem, nie przejmuj się, Ed! – krzyczał Donfrey. – Dobrze ci poszło. Naprawdę. A zresztą to drobiazg. Za tydzień nikt już nie będzie pamiętał.

Co? Co jest, do cholery? Co ten Donfrey wygaduje? Że Roosten zrobił klapę? Wystawił się na pośmiewisko? Przed całym miastem? A w życiu. Rozstawił wszystkich po kątach. Donfrey nie chodzi po ziemi czy co? A może przyćpał? Przyszedł zaćpany na antynarkotykową imprezę? I czy przed chwilą zwrócił się do Roostena per „Ed"?

Mógł go pocałować w dupę. Pozer. Snob. Al o tym zapomniał. Przez chwilę nie pamiętał o jego pozerstwie i snobizmie. Kiedy tamtym razem Donfreyowie weszli do Przebrzmiałej Chwały, natychmiast odwrócili się na pięcie i wyszli, jakby uznali, że towar Roostena – same antyki z epoki – jest zbyt zakurzony i źle wybrany, żeby nadawał się do ich domu, autentycznego dworzyszcza na wzgórzu. Poza tym Roosten nagle szczerze przyznał w duchu, że żona Donfreya wcale nie jest piękna, tylko wyblakła. Blada wyniosła sierota. A co do dzieci – jeżeli rzeczywiście były jego własne – to warto by je trochę rozczochrać. Odelfić. Czy to w ogóle dziewczynki, czy chłopcy? Słowo daję, nie sposób zgadnąć.

Roosten nie miał dzieci. Nigdy się nie ożenił. Ale miał za to chłopców. Byli jego siostrzeńcami. Nie mieli w sobie nic z elfów. *Au contraire*. Stanowili ich przeciwieństwo, cokolwiek nim jest. Trolle? Gbury? Nie, byli super. Byli chłopcami w każdym calu. I to jeszcze jak. Może nawet zanadto. Nie miał pojęcia, czemu jego siostra Mag upiera się prowadzać ich do taniego fryzjera, skoro wyglądali potem jak trzy zwaliste okazy tego samego germańskiego parobasa z grzywką równo uciętą nad brwiami. Co wieczór w suterenie odbywał się trójmecz zapasów wśród gromkich stęków i takich wyzwisk jak „Flejpiącha" czy „Pierdotraw", dopóki któryś nie walnął okrągłą głową w coś metalowego, a kiedy bracia pomagali mu wdrapać się na schody, po przekrwionych od zapaśniczego wysiłku policzkach spływały im łzy, więc wyglądali jak trzej skruszeni raptem naziści…

Nie żadni naziści. Boziu. Niemcy. Energiczni, przedwojenni chłopysie germańscy. Zdrowi młodzi Beethovenowie. Chociaż Roosten wątpił, czy ten kompozytor oderwał kiedyś, i to gołymi rękami, pulpit od klęcznika, bo go podpuścił drugi Beethoven, podczas gdy trzeci z dumą układał na psałterzu cztery mocno ugniecione kozy z nosa, które przed chwilą…

Wszystko przez ten rozwód. Dopiero po rozwodzie chłopcy tak zdziczeli. Szkoda Mag. W liceum Al był powszechnie lubianym zapaśnikiem, a ona krzepką dziewuchą, która chodziła na religię i durzyła się w Chrystusie. Mieszkali na farmie rodziców. Ale jakoś tak wyszło, że tylko Mag ciągnęło do gospodarowania. W pierwszej klasie zaczęła chodzić z Kenem Glennem, równie jak ona rolniczo usposobionym posiadaczem uszu jak talerze. Żartowano wtedy, że Mag i Ken pójdą do ślubu w ogrodniczkach. I że pobiorą się w kościele pełnym żywego inwentarza. Jeżeli jakiemukolwiek małżeństwu wróżono trwałość, to właśnie temu związkowi dwojga nieurodziwych chrześcijańskich farmerów. Ale Ken porzucił Mag dla innej farmerskiej…

Mag wcale nie brakowało urody. Była prosta, odznaczała się prostą, przyziemną…

Była przystojna. Przystojna z niej była kobieta. Ona… wszystko miała na swoim miejscu. Potrafiła się zachować. Tylko czasem darła się na chłopców. Jej twarz zmieniała się wtedy w czerwoną, wykrzywioną maskę. Widać było, jak gnębi ją to, że jest jedyną rozwódką w swoim niesłychanie pryncypialnym kościele, i jaka jest zakłopotana, że musiała zamieszkać u brata, i jak się martwi, że jeżeli on straci sklep (co było już prawie pewne), będzie musiała przerwać naukę i znaleźć trzeci etat. Zeszłego wieczoru Al zastał ją w kuchni, gdzie po odpracowaniu swojej zmiany w sklepie Casco twardo spała z głową na stole, a raczej na skrypcie, który jej dano w szkole pielęgniarskiej. Początkująca czterdziestopięcioletnia pielęgniarka. Śmiechu warte. Alowi chciało się z tego śmiać. Chociaż właściwie wcale go to nie śmieszyło. Raczej budziło podziw. Mogłoby śmieszyć takiego snoba jak Donfrey. Taki snob jak on tylko by spojrzał na Mag w tym jej workowatym kitlu pielęgniarki i zaraz by zawiózł swoje rozpieszczone elfy z powrotem do ogromnej rezydencji Donfreyów, którą niedawno opisano w poświęconym wykwintnemu stylowi życia dziale...

Och, rezydencja-szmencja. Czy dom Gandhiego miał największą na terenie trzech sąsiednich stanów trampolinę pod gołym niebem? Czy Jezus miał dwuakrowy tor dla samochodzików sterowanych pilotem, z miniaturowymi górami i wioską, w której wieczorem zapalały się światła w oknach?

Nie w tej Biblii, którą znał Roosten.

Ha. Tekturowy areszt pełen był celebrytów. Jakim cudem? Widocznie Roosten nie zauważył, kiedy po wybiegu przemaszerował Max z Max's Auto, Ed Berden ze Steak-n-Roll i dwaj bliźniacy hipisi, którzy prowadzili Cofee-Minded, wysocy jak jakieś dziwolągi.

Blondyna stała ze spuszczoną głową, milcząc, jakby czekała, aż jej podbudowana doświadczeniem głębia wystąpi z brzegów w formie szczerze przeżytej mowy, która wywoła gromki aplauz i raz na zawsze ugruntuje jej pozycję jako największej cierpiętnicy wśród obecnych.

– Kochani, dotarliśmy do najważniejszego aspektu imprezy – rzekła cicho. – Czyli do aukcji. Która ma się odbyć w milczeniu. Wiecie, co by było, gdyby nie wy, kochani? Dzieciom Śmiech Zamiast Kraku to by była grupa zdecydowanych przeciwników narkomanii, którzy siedzieliby we własnych domach, dziwacznie poprzebierani. Napiszcie swoją ofertę, ktoś te kartki za chwilę pozbiera i zwycięzcę spośród was, zaprosi na lunch wybrany przez niego celebryta.

Czyżby koniec?

Na to wyglądało.

Czy Roosten mógł już się wymknąć?

Mógł, musiał się tylko pochylić.

Pochylił się i czmychnął, a blondyna dalej smędziła.

W przebieralni zobaczył ubranie Donfreya, niedbale rzucone na krzesło: drogie spodnie z zaszewkami i ładną jedwabną koszulę. A na podłodze klucze i portfel.

Cały Donfrey. Nikt inny tak by nie nabałaganił w całkiem miłej przebieralni.

Ale po co się wściekać na Donfreya? Przecież nie zrobił Roostenowi nic złego. Tylko go zagadnął, z czystej uprzejmości. Łaskawca. Raczył się zniżyć.

Roosten dał krok naprzód i kopnął portfel, który pojechał jak po lodzie. Prosto pod spiętrzone ławki. Jak hokejowy krążek. Zostały tylko klucze, więc brak portfela tym bardziej rzucał się w oczy. Szlag. Roosten mógłby sobie powiedzieć, że kopnął portfel niechcący. Była to z grubsza prawda. Właściwie nie myślał, co robi. Dał portfelowi kopniaka, bo akurat przyszła mu ochota. Taką już miał impulsywną naturę. Była to jedna z jego zalet. W ten sam sposób kupił sklep. Podupadający. Kopnął klucze. No bo co, do cholery? Ale czemu to zrobił? Wpadły w jeszcze lepszy poślizg niż portfel. Jedno i drugie tkwiło teraz głęboko pod ławkami.

O matko, fatalna sprawa. Fatalnie, że niechcący kopnął portfel i klucze.

Do przebieralni wparował Donfrey, głośno rozmawiając przez komórkę przemądrzałym tonem.

Ryczał, że mała świetnie się czuje. Zdenerwowana, ale pełna entuzjazmu. Odważna. Trzyma fason. Szczere złoto, nie dziecko. Zawsze robi, co do niej należy: znosi na dół brudy do prania, kiedy akurat wypada jej dyżur, wytaszcza śmieci na ulicę. Od tygodnia nie sypia. Taka jest podekscytowana. Czego najbardziej nie może się doczekać? Biegania na gimnastyce z resztą klasy. Tylko sobie wyobraź: całe życie kuśtykasz na krzywej stopie, a tu nagle ktoś wreszcie znajduje sposób, żeby ci ją wyprostować. Owszem, straszna operacja, Jezu, szyna dosłownie łamie kości, zanim skoryguje ułożenie. Biedaczka tyle się wyczekała. Muszą zdrowo zapieprzać, żeby po nią wstąpić i śmignąć do kliniki. Robi się późno, bo aukcja strasznie się przeciągnęła. Chyba powinien był z niej się wymigać, ale chodziło o taką szlachetną sprawę.

Roosten szybko dopiął ostatnie guziki i wyszedł z przebieralni.

Boziu, o co w tym wszystkim chodziło? Widocznie jedno z elfów nie było tak doskonałe, jak się wy…

Czyżby jedno z elfów kulało? Roosten nie mógł sobie tego przypomnieć.

No cóż, smutna historia. Choroba u dziecka to… dzieci są przyszłością. Zrobiłby wszystko dla tej dziewczynki. Gdyby któryś z chłopców miał krzywą stopę, Al poruszyłby niebo i ziemię, żeby ją wyprostować. Obrabowałby bank. A gdyby chłopiec był dziewczynką, to jeszcze gorzej. Kto zaprosi kuternogę, kulawą czy inną kalekę do tańca? Wyobraź sobie, że to twoja córka siedzi z kulą u boku, wystrojona, i nie tańczy.

Po parkingu dla klientów FlapJackers smyrgały setki okruchów uschłych liści. Jakiś ptak zerwał się z parkingowego odboju, spłoszony ich chmarą. Głupie liście, nigdy nie złapią ptaka.

Chyba żeby Roosten zabił go kamieniem i zostawił. Z wdzięczności obwołałyby go Liściowym Królem.

Ha, ha.

Ze złością kopnął stertę liści.

Kurwa. Chciało mu się płakać. Czemu, dlaczego, czym tak się smucił?

Wsiadł do auta i odjechał przez miasto, w którym mieszkał od urodzenia. Rzeka wezbrała. Przed szkołą podstawową stał nowy stojak na rowery. Kiedy Roosten mijał psi pensjonat Flannery'ego, do płotu jak zwykle rzuciła się cała sfora. Obok pensjonatu był bar sałatkowy Mike'a. W koszmarnych czasach siódmej klasy mama zabrała tam raz Ala na colę.

– O co chodzi, Al? – spytała.

– Wszyscy mówią, że się rozpycham i jestem gruby – poskarżył się. – I w dodatku podstępny.

– No cóż, Al – odparła mama. – Rzeczywiście się rozpychasz i jesteś gruby. I domyślam się, że bywasz bardzo podstępny. Ale wiesz, co jeszcze można o tobie powiedzieć? Masz to, co ludzie nazywają kręgosłupem moralnym. Kiedy widzisz, po której stronie leży słuszność, postępujesz zgodnie z własnym przekonaniem, nie licząc się z kosztami.

Mama czasem pieprzyła od rzeczy. Raz powiedziała, że kiedy patrzy, jak Al wbiega po schodach, widzi przed nim wspaniałą przyszłość wspinacza wysokogórskiego. A gdy udało mu się dostać czwórkę minus z matmy, orzekła, że powinien zostać astronomem.

Poczciwa mama. Dzięki niej zawsze czuł się kimś niezwykłym.

Nagle zapiekły go policzki. Poczuł, że mama patrzy na niego z nieba – surowo, lecz i z sarkazmem, jak to ona, jakby pytała: „Halo, czy myśmy aby o czymś nie zapomnieli?".

No, to był przecież przypadek. Al tylko przypadkiem zapodział parę drobiazgów, całkiem niechcący. Butem. Bo spontanicznie przez pomyłkę je kopnął.

Mama w niebie zmrużyła oczy.

Byli dla mnie niedobrzy – powiedział Roosten.

Mama w niebie tupnęła nogą.

Co miał zrobić? Popędzić z powrotem i wskazać im drogę do kluczy? Odgadliby, że to jego sprawka. A zresztą Donfrey pewnie już dawno odjechał. Jego żona miała pewnie zapasowe kluczyki. Tylko że żony Donfreya tam nie było. No to kto inny mógł go odwieźć do domu. Po długich i bezowocnych poszukiwaniach kluczy. Przez które to poszukiwania Donfrey tak się spóźnił, że będą musieli przełożyć operację...

Kurwa.

Oj, jakoś to przeżyją. Od tego się nie umiera. Najwyżej dziewczynka poczeka jeszcze parę miesięcy na...

Roosten skręcił na czyjś podjazd, wyłożony płytami z białego kamienia, i zahamował. Musiał przemyśleć sprawę. Do płotu z uroczystym szczekaniem doskoczył york. A potem podeszła kura. Ha. Kura i york mieszkały na jednym podwórku. Stały obok siebie i przyglądały się Roostenowi.

Eureka.

Znalazł wyjście.

Wróci ukradkiem i uda, że cały czas tam był. Wszyscy będą szukali portfela i kluczy. On też chwilę z nimi poszuka. A kiedy prawie dadzą za wygraną, spyta: Pewnie już sprawdziliście pod ławkami?

No, nie sprawdziliśmy – odpowie Donfrey.

Może warto spróbować – podsunie Roosten.

Ściągną paru osiłków, żeby przetaszczyli ławki. A wtedy znajdą i klucze, i portfel.

O rany – zdziwi się Donfrey. – Jesteś niesamowity.

Coś mnie tknęło – odpowie Roosten. – Po prostu wyeliminowałem w myślach wszystkie inne możliwości.

Chyba cię nie doceniałem – przyzna Donfrey. – Musimy cię lada dzień ugościć u nas w domu.

W rezydencji? – upewni się Roosten.

I wiesz co, Al? – powie Donfrey. – Przepraszam, że wtedy wyszliśmy z twojego sklepu. To było niegrzeczne. I jeszcze jedno, Al. Przepraszam, że powiedziałem do ciebie „Ed".

Naprawdę? – zdziwi się Roosten. – Wcale tego nie zauważyłem.

Kolacja w rezydencji uda się nad podziw. Niebawem Roosten zostanie prawie członkiem rodziny. Będzie wpadał przy lada okazji. To by było miło. Byłoby miło przesiadywać w rezydencji. Czasem mogliby też przyjść z nim chłopcy. Byle tylko niczego nie stłukli. Musieliby się siłować na dworze. Czego jak czego, ale dewastacji rezydencji przyjaciół Roosten z pewnością nie chciał. Wyobraził sobie, jak przepiękna żona Donfreya, zmartwiona demolką, której dopuścili się chłopcy, osuwa się na fotel i wybucha płaczem.

Dziękuję, chłopcy, super, bardzo wam za to dziękuję. Wyjdźcie na dwór. Wyjdźcie i cichutko posiedźcie.

Za wielkim oknem księżyc w pełni, Roosten i Donfrey w smokingach, a żona Donfreya ma na sobie coś złotego z głębokim dekoltem.

Wspaniała kolacja – mówi Roosten. – Wszystkie kolacje u was są wspaniałe.

Chociaż tym próbujemy ci się odwdzięczyć – Donfrey na to. – Tak bardzo nam pomogłeś, kiedy jak ostatni głupek zgubiłem klucze.

Ha, ha, tak, a wiecie, jak to było? – pyta Roosten.

I opowiada im ze wszystkimi szczegółami, jak zrobił to opłakane głupstwo, lecz potem przejrzał na oczy i pospieszył z pomocą.

Ale numer! – woła Donfrey.

Trzeba było wiele odwagi – mówi jego żona. – Żeby tak wrócić.

Według mnie wymagało to kręgosłupa moralnego – stwierdza Donfrey.

Za tę szczerość jeszcze bardziej cię podziwiamy – dodaje jego żona.

Była tam też Mag. A ta skąd się wzięła? No, dobra, niech sobie siedzi. Porządna z niej kobita. Da się z nią porozmawiać. Donfreyowie muszą dostrzec jej zalety. Tak jak poznali się na jego dobrych stronach. Mama na pewno by się ucieszyła, że jej dzieci nareszcie zyskały uznanie w oczach wykwintnych mieszkańców pięknej rezydencji.

Roostena wyrwał raptem z rozmarzenia dziwny, mimowolnie wydany odgłos ukontentowania.

Ha.

Co, do diabła? Gdzie on w ogóle był?

York obwąchiwał kurę. Która najwidoczniej nie miała nic przeciwko. Albo nie zauważała. Wpijała się za to laserowym wzrokiem w Ala Roostena.

Akurat. Gruszki na wierzbie. Mowy nie ma, żeby tam wrócił. Zaraz by go przejrzeli na wylot. Daliby mu popalić. Ludzie zawsze umieli go przejrzeć, a potem dawali popalić. Kiedy ukradł Kirkowi Desnerowi okulary z klapką przeciwsłoneczną, chłopcy z drużyny przejrzeli go i dali mu popalić. A jak zdradził Syl, ona też go przejrzała, zerwała zaręczyny i zdradziła go z Charlesem, co dało mu popalić chyba najdotkliwiej w życiu, chociaż to życie wydawało mu się ostatnio nie czym innym, tylko jednym pasmem coraz dotkliwszych popaleń.

Jak zwykle w takich razach pobiegł myślą ku mamie, licząc na słowo otuchy.

A co, ten głąb Donfrey nigdy w życiu się nie pomylił? – spytała mama. – Nigdy niechcący nie wplątał się w coś opłakanego, co się jednakowoż niestety zdarzyło? A teraz z powodu jednego drobnego potknięcia chce cię napiętnować jako skończonego fiuta, szumowinę albo człowieka złego i niedojrzałego? Czy to sprawiedliwe? Nie sądzisz, że i on pewnie kiedyś potrzebował czyjejś wyrozumiałości?

Pewnie tak – powiedział Roosten.

O, niewątpliwie – ciągnęła mama. – Znam cię od urodzenia, Al, i wiem, że jesteś poczciwy z kościami. Jesteś Al Roosten. Pamiętaj o tym. Czasem ci się wydaje, że masz jakiś feler, ale za każdym razem się okazuje, że wcale nie. Po co robić sobie wyrzuty, pozwalając, żeby ominęło cię piękno bieżącej chwili?

Śpiewny ton mamy w jego własnej głowie podnosił Roostena na duchu.

Wyjechał z podjazdu. Mama miała rację. Świat był piękny. Oto pochylone, pożółkłe nagrobki na cmentarzu pionierów. Oto warsztat samochodowy Jiffy Lube, nie sposób go nie dostrzec. Gęsta kula ptaków wyciągnęła się w podłużny kształt, zanim osiadła na gałęziach drzewa rażonego piorunem. Roosten wiedział, że to nie mama mówi w jego głowie. To tylko on wyobrażał sobie jej słowa. Skąd miał wiedzieć, co by powiedziała? Pod koniec zachowywała się czasem jak stara wariatka. Ale i tak bardzo za nią tęsknił.

Znowu pomyślał o kalekiej dziewczynce. Przegapili termin i będą musieli ustalić nowy. Następne wolne miejsce dopiero za kilka miesięcy. W mroku nocy dziewczynka sięgnęła ręką do krzywej stopy i jęknęła. A tak mało brakowało, tak mało, żeby dostała...

Pieprzenie w bambus i tyle. Negatywne myśli. A tu trzeba przecież zacząć uzdrawianie. Każdy to wie. Trzeba siebie kochać. Co było pozytywne? Sklep: wymyślanie, jak by go podrasować, żeby chociaż w miarę znośnie wyglądał, jak go wskrzesić. Urządzi w nim bar kawowy. Wywali tę starą poplamioną wykładzinę. Zaraz lepiej się poczuł. Człowiek potrzebuje radości. Radość daje napęd. Kiedy już sklep jako tako stanie na nogi, pójdzie się o krok dalej i doprowadzi go do rozkwitu. Co rano przed drzwiami ustawi się kolejka w oczekiwaniu na właściciela. Gdy Roosten w wyobraźni przeciskał się przez tłum, wszyscy z uśmiechem klepali go po plecach, dopytując, czy zechce kandydować na burmistrza. Czy zrobi dla miasta to, co zrobił dla Przegrzmiałej Chały? Ha, ha, start w wyborach, to dopiero byłby ubaw. Jaki wybrać kolor chorągiewek? Jaki slogan?

AL ROOSTEN, PRZYJACIEL WSZYSTKICH.

Dobre.

AL ROOSTEN, NAJLEPSZY Z NAS.

Trochę pyszałkowate.

AL ROOSTEN: TAKI JAK TY, TYLKO LEPSZY.

Ha, ha.

Oto i sklep. Nikt nie czekał przed wejściem. Wiatr przywiał ze składowiska starych gratów ubłoconą płachtę i rozpostarł ją na szybie wystawowej. Za składowiskiem wznosił się wiadukt, pod którym przesiadywali włóczędzy. To przez nich upadał jego...

Roosten miał wrażenie, że wolą, jak się ich nazywa bezdomnymi. Chyba gdzieś o tym czytał? Że „włóczęga" brzmi obraźliwie? Jezu, trzeba mieć tupet. Facet nie przepracował w życiu ani dnia, nic tylko łazi i kradnie szarlotki z parapetów, a potem płaksiwie upomina się o swoje prawa? Roosten miał ochotę podejść do jakiegoś bezdomnego i powiedzieć „ty włóczęgo". Zrobi to, a jakże, złapie tego cholernego menela za kołnierz i powie: „Ty włóczęgo, przez ciebie upada mój sklep. Już dwa miesiące zalegam z czynszem. Wracaj do tego jakiegoś obcego kraju, z którego pewnie...".

Nienawidził jak zarazy tych żebraków, którzy z zagryzmolonymi kawałkami dykty mijali drzwi jego sklepu. Nie mogli chociaż nauczyć się poprawnie pisać? Wczoraj jeden przeszedł z tabliczką POMUSZ BIDNEMU. Roosten miał ochotę krzyknąć: „Ty, ja ci zaraz pomuszę!". Skoro ciągle przesiadywali pod wiaduktem, mogliby przynajmniej zrobić sobie nawzajem korektę...

Kiedy parkował samochód, poczuł w głowie dziwną pustkę. Gdzie w ogóle był? Przed sklepem. Brrr. Gdzie zapodział klucze? Jak zwykle wisiały na starym wstrętnym sznurku, którego nie sposób było wysupłać z kieszeni.

Jezu, niedobrze mu się robiło na myśl, że musi tam wejść.

Przesiedzi samiuteńki całe popołudnie. I po co? Na co? Dla kogo?

Dla Mag. Ona i chłopcy liczyli na niego.

Posiedział jeszcze chwilę w aucie, głęboko oddychając.

Ulicą nadszedł starzec w brudnych łachach. Zataczał się i wlókł za sobą kwadratowy kawał tektury, na którym zapewne sypiał. Zęby miał w upiornym stanie, a oczy mokre i czerwone. Roosten wyobraził sobie, że wyskakuje z samochodu, przewraca starca na ziemię i kopie go raz za razem, żeby dać mu cenną nauczkę, jak powinien się zachowywać.

Starzec wątle się do niego uśmiechnął, a Roosten odpowiedział równie wątłym uśmiechem.

Dziewczęta Sempliki (dziennik)

(3 IX)

Właśnie skończyłem 40 lat, więc postanawiam wielki zamysł: codziennie pisać w tym nowym czarnym notesie prosto z BiuroMaksa. Podnieca myśl że w rok zapiszę 365 str. po 1/dzień i jaki to da obraz życia i czasów dzieciom i wnukom a nawet prawnukom i komu tam jeszcze, niech wszyscy zobaczą (!) jakie życie naprawdę było/jest teraz. Bo co my właściwie wiemy o innych czasach? O zapachu ubrań i odgłosach pojazdów? Czy przyszli ludzie będą np. wiedzieli jak brzmiał lecący nocą samolot skoro samoloty wtedy już passé? I że nieraz koty walczyły w nocy? Bo tymczasem jakiś chemiczny wynalazek skończy z kocimi walkami? Wczoraj śniłem że 2 demony kopulują a to tylko 2 koty walczyły za oknem. Czy przyszłym ludziom znane będzie pojęcie „demon"? Czy nasza wiara w „demony" wyda im s. rozbrajająca? Czy w ogóle będą mieli „okna"? Przyszłe pokolenia zaciekawi że nawet wykształcony absolwent wyższej uczelni jak ja budził s. nieraz zlany zimnym potem myśląc o demonach i że może jakiś czyha pod łóżkiem? Czort z tym, nie piszę przecież encyklopedii a jak przyszły człowiek to czyta i chce wiedzieć co to „demon", niech idzie sprawdzić w czymś zwanym encyklopedią jeżeli wciąż macie encyklopedie!

Odbiegam od tematu ze zmęczenia przez te kocie walki.

Będę pisał co wieczór 20 minut choćby nie wiem jak zmęczony.

No to dobranoc wszystkim przyszłym pokoleniom. Wiedzcie że byłem jak wy, też oddychałem powietrzem i przed snem podkulałem nogi a kiedy pisałem ołówkiem czasem go podnosiłem do nosa powąchać. Chociaż kto wie, może przyszli ludzie piszecie laserowymi piórami? Ale pewnie nawet one jakoś pachną? Czy przyszli ludzie też wąchają swoje (laserowe) pióra? No, już późno a ja zanadto s. zapuszczam w te filozoficzne dociekania. Postanawiam jednak pisać w tym zeszycie co wieczór najmniej 20 minut. (W chwilach zniechęcenia pomyśleć ile uda s. zanotować dla potomności zaledwie w rok!).

(5 IX)

Aj. Opuściłem dzień. Rwanie głowy. Streszczę wczoraj. Było nieco wyboiście. Kiedy odbierałem dzieci ze szkoły odpadł zderzak od Park Avenue. Uwaga do przyszłych pokoleń: Park Avenue = typ auta. Nasze nienowe. Starawe. Trochę rdzy. Eva wsiadła i spytała co znaczy „graciarnia". I zaraz zderzak ryms. Pan Renn od historii, b. uczynny, podniósł go (uwaga: napisać list pochwalny do dyrektora) mówiąc że też miał kiedyś auto któremu odpadł zderzak jak biedował na studiach. Eva zapewniła mnie że to żadna zbrodnia jak zderzak odpada. Ja na to że oczywiście żadna, niby czemu miałaby być zbrodnia, samo s. stało bez mojej winy rzecz jasna. W pamięci obraz 3 słodkich dzieci na tylnym siedzeniu, mają smutne skarcone minki, a na kolanach bojaźliwie trzymają zderzak. 1 koniec musiał wystawać z okna Evy więc ona dziś kicha i ma draśniętą rękę bo zderzak w 1 miejscu ostry. Pan Renn przewiązał koniec zderzaka za oknem chusteczką. Kiedy Eva głośno s. zmartwiła że zapomnimy mu ją oddać („Przecież jesteśmy roztrzepani tatusiu!") powiedziałem że wcale nie jesteśmy. A potem w drodze do domu chusteczkę oczywiście zwiało.

Lilly jak zwykle spojrzała z szerszej perspektywy mówiąc kto by s. tam przejmował głupim zderzakiem przecież i tak niedługo kupimy nowy wóz jak s. wzbogacimy no nie? Po przyjeździe do domu wstawiłem zderzak do garażu. Znalazłem tam dużą martwą mysz albo małą wiewiórkę oblazłą przez robactwo. Przełożyłem łopatą większość myszy/wiewiórki do worka na śmieci. Na podłodze garażu wciąż resztka/ślad wiewiórki/myszy jak plama oleju z ugrzęzłymi kępkami sierści.

Stanąłem i patrzę na dom. Smutno. Myślę: czemu smutno? Nie smuć s. bo wszystkich zasmucisz. Wszedłem do domu radosny, nie wspominając o zderzaku, plamie z wiewiórki/myszy ani robactwie i dałem Evie dodatkową porcję lodów za to że ją przedtem ofuknąłem.

Eva = najsłodsze dziecko. Największe serce. Jak była mała, znalazła na podwórku martwego ptaka i położyła go na zjeżdżalni żeby „widział śwoją lodzinę". Płakała kiedy wyrzuciliśmy stary fotel na biegunach który podobno jej powiedział że chciałby dożyć lat w suterenie.

Musisz s. bardziej starać! Być lepszy. I to od zaraz. Niedługo dorosną i byłoby b. smutno gdyby zapamiętali cię tylko jako spiętego złośnika w kiepskim aucie.

Po pierwsze: Spłacić długi. Przedłużyć rejestrację Park Ave. Wymienić zderzak. (Pytanie do siebie: przedłużenie rejestracji wymaga wymiany zderzaka?). Wyszorować plamę po wiewiórce/myszy żeby dzieci mogły latem s. bawić w garażu.

Po drugie: Sprzątnąć suterenę. (Niedawno tak lunęło że mała powódź zniszczyła pudła/pakunki przygotowane na Gwiazdkę. A klatka po śwince morskiej aż pływała. Postawiłem na pralce. Teraz przy każdym praniu trzeba klatkę prowizorycznie wstawiać z powrotem do wody).

Kiedy wreszcie czas/dostatek pozwoli mi siąść na beli siana i oglądać wschód księżyca gdy rodzina zaśnie w luksusowej rezydencji? Będę mógł wtedy głęboko s. zastanowić nad sensem życia itd., itp. Czuję i zawsze czułem że ta i inne dobre rzeczy w końcu nam s. zdarzą!

(6 IX)
Dziś b. przygnębiające urodziny Leslie Torrini, koleżanki Lilly, u niej w domu.

Ten dom = rezydencja w której zatrzymał s. raz Lafayette. Państwo T. pokazali nam jego pokój, obecną „bawialnię". TV plazmowy, automat do gier, aparat do masażu stóp. 30 akrów, 6 oficyn (T. tak na nie mówią): w I ferrari (3), w II porsche (2 + 1 którego T. właśnie podrasowuje), w III zabytkowa karuzela, którą cała (!) rodzina restauruje. Nad zarybionym pstrągami strumieniem czerwony mostek w orientalnym stylu sprowadzony samolotem z Chin. Pokazali nam ślad kopyta z czasów którejś dynastii. W pokoju od frontu obok steinwaya gipsowy odlew śladu kopyta w drewnie innego mostu z jeszcze wcześniejszej dynastii. Autograf Picassa, autograf Disneya i suknia którą miała raz na sobie Greta Garbo, wszystko na pokaz w masywnej gablocie z mahoniu.

Warzywnik pod opieką niejakiego Karla.

Lilly: Jejku, ten ogród jest normalnie 10 x większy niż całe nasze podwórko.

Ogród kwiatowy pielęgnuje inny facet, o dziwo też imieniem Karl.

Lilly: Nie chcielibyście tu mieszkać?

Ja: Lilly, ha, ha, przestań...

Pam (moja żona, przeurocza, kocha życie!): A co, co ona złego powiedziała? Może nie chciałbyś tu mieszkać? Nie chciałbyś? Bo ja na pewno.

Przed domem na rozległym trawniku największa instalacja z DSek jaką w życiu widziałem, wszystkie w bieli, białe koszulki powiewają na wietrze więc Lilly pyta: Możemy do nich podejść?

Leslie, jej koleżanka: Możemy ale zwykle nie podchodzimy.

Matka Leslie w indonezyjskim sarongu: Nie podchodzimy bo już nieraz podchodziliśmy, a nawet mnóstwo razy, kochanie, ale może ty byś chciała podejść? Może dla ciebie to wszystko jest b. nowe i elektryzujące?

Lilly (onieśmielona): Owszem jest.

Mama Leslie: No to nie krępuj s., proszę.

Lilly pędzi w stronę DSek.

Mama Leslie do Evy: A ty, kochanie?

Eva nieśmiało cofa s. za moją nogę, przecząco kręcąc głową.

Właśnie wtedy zjawia s. ojciec (Emmett) ze świeżo malowaną nogą konia z karuzeli w ręku i mówi czas na kolację. Ma nadzieję że lubimy żaglicę prosto samolotem z Gwatemali doprawioną rzadką przyprawą spotykaną tylko w pewnym zakątku Birmy którą to przyprawę zdobył jedynie dzięki łapówce i jeszcze musiał zaprojektować/skonstruować specjalny pojemnik na żaglicę żeby doleciała świeża.

Dzieci mogą zjeść później w domku na drzewie, mówi mama Leslie. Kupiliśmy specjalną zastawę. Poprzednia w nadrzewnym domku była z Rosji bośmy tam kiedyś mieszkali. B. ładna ale trochę zużyta. A świeczniki to już były całkiem starożytne. Znaczy z czasów Romanowów.

A w zeszłym tygodniu wreszcie podciągnęliśmy tam kablówkę, wtrąca Emmett.

Pokazuje palcem domek na drzewie malowany w wiktoriańskim stylu z dwuspadowym dachem, sterczącym teleskopem i czymś na kształt małej baterii słonecznej.

Thomas: Jejku, ten domek jest normalnie 2 x większy niż nasz prawdziwy dom.

Pam (szeptem): Nie mów „normalnie".

Ja: O, ha, ha, niech mówi co chce, nie bądźmy...

Thomas: Ten domek jest 2 x większy niż nasz prawdziwy dom.

(Jak zwykle przesadza: domek nie 2 x większy niż nasz dom. Prędzej jak 1/3 naszego domu. Ale owszem: duży domek nadrzewny).

Nasz prezent nie taki znów najgorszy. Może i najtańszy (ktoś przyniósł miniaturowy odtwarzacz DVD a ktoś inny – kosmyk włosów prawdziwej mumii (!)) ale wg mnie najbardziej od serca. Leslie chyba rozczarowały włosy mumii bo jęknęła że 1 taki kosmyk już ma (!) natomiast prostota naszych papierowych lalek do wycinania na moje oko ją rozczuliła. A chociaż nie wydawały nam s. kiczowate kiedy je kupowaliśmy to gdy mama Leslie powiedziała: patrz, Les, kicz nie kicz, ale uroczy, prawda? – pomyślałem: no może i kicz, może zamierzony. W każdym razie mniej nas dzięki temu zabolało że następnym prezentem był bilet na wyścigi w Baltimore (!) bo Leslie ostatnio zainteresowała s. końmi więc wcześnie wstaje i karmi 9 koni Torrinich chociaż przedtem kategorycznie odmawiała karmienia 6 lam.

Mama Leslie: No i zgadnijcie kto w końcu musiał karmić lamy?

Leslie (ostro): Mamo zapomniałaś że wtedy ciągle chodziłam na jogę?

Mama Leslie: Choć prawdę rzekłszy to był właściwie dar niebios, że mogłam na nowo s. przekonać jakie z nich wspaniałe zwierzęta, po lekcjach w dni kiedy Les miała jogę.

Leslie: Normalnie dzień w dzień jogę.

Mama Leslie: Chyba trzeba po prostu zaufać własnym dzieciom, uwierzyć, że ich wrodzona ciekawość życia w końcu weźmie górę, nie sądzi pan? I teraz właśnie coś takiego s. dzieje między Les a końmi. Boże, ależ ona je kocha.

Leslie: Są cudowne.

Pam: My swoich dzieci nie możemy nawet zagonić żeby pozbierały co Ferber narobi na podwórku.

Mama Leslie: Ferber, czyli...?

Ja: Pies.

Mama Leslie: Ha, ha, tak, no cóż, wszystko fajda, nieprawdaż?

Chociaż istotnie nie udaje nam s. utrzymać czystości na podwórku i to mimo niedawnej próby ułożenia grafiku, nie byłem rad że Pam to rozgłasza jakby nasze dzieci nie tylko gorzej ubrane od Leslie ale też mniej obowiązkowe, jakby psu daleko do lamy, konia, papugi (ta w holu na piętrze mówi *Bonne nuit!* kiedy ją mijam idąc siusiu) itd., itp.

Po kolacji obszedłem posiadłość z Emmettem który jest chirurg i 2 dni w tygodniu robi coś z implantami mózgowymi, takimi elektronicznymi urządzonkami. A może biotronicznymi? Są maleńkie. Setki zmieszczą s. na łebku szpilki? Czy pięciocentówce? Nie b. nadążałem. Zapytany o swoją pracę, odpowiedziałem. On na to: no, hmm, nie do wiary, jakie dziwne i tajemnicze rzeczy społeczeństwo każe robić niektórym z nas, rzeczy poniżające bez uchwytnego pożytku dla nikogo, i jak tu wymagać żeby ludzie chodzili z podniesionymi głowami?

Nie nasunęła mi s. żadna riposta. Zadanie: wymyślić ripostę, wysłać na pocztówce i zadzierzgnąć w ten sposób przyjaźń z Emmettem?

Po powrocie do domu siedliśmy na specjalnym pomoście do patrzenia w gwiazdy, kiedy wzeszły. Nasze dzieci patrzyły zafascynowane, jakby u nas w dzielnicy nie było gwiazd. Co to, spytałem, u nas w dzielnicy 0 gwiazd? Nie odpowiedziały. Nikt s. nie odezwał. Właściwie to gwiazdy rzeczywiście świeciły tam jakby jaśniej. Na pomoście za dużo wypiłem i nagle każda myśl wydała s. głupia więc siedziałem cicho jak otumaniony.

W drodze powrotnej Pam prowadziła Park Ave a ja siedziałem obok, ponury i pijany. Dzieci trajkotały jaka superimpreza, zwłaszcza Lilly. Thomas powtarzał wszystkie nudziarstwa o lamach zasłyszane od Emmetta.

Lilly: Nie mogę s. doczekać swoich urodzin. To za 2 tygodnie, tak?

Pam: A co chcesz robić w swoje urodziny, skarbie?

Długie milczenie w aucie.

I wreszcie Lilly ze smutkiem: A bo ja wiem. Chyba nic.

Zajechaliśmy przed dom. Znowu milczeliśmy patrząc na puste gołe podwórko zarośnięte głównie palusznikiem bez żadnego czerwonego mostku w orientalnym stylu ze starożytnymi śladami kopyt, żadnych oficyn i ani jednej DSki, tylko Ferber, o którym trochę zapomnieliśmy, jak zwykle biegał dookoła drzewa na coraz krótszej smyczy aż s. prawie na śmierć udusił i tak już został uwiązany tuż przy ziemi, leżąc na wznak, i tylko patrzył na nas błagalnie a w ślepiach obok rozpaczy jakby mu kipiał tłumiony gniew.

Spuściłem go z uwięzi a on wrogo na mnie łypnął i nawalił kupę przy samej werandzie.

Patrzyłem czy dzieci wezmą sprawę w ręce i sprzątną. A gdzie tam. Przeszły obok powłócząc nogami i bez sił stanęły przed drzwiami domu. Zrozumiałem że sam powinienem wziąć sprawę w ręce i sprzątnąć. Ale byłem zmęczony i wiedziałem że muszę tu przyjść pisać w tym głupim zeszycie.

Nie przepadam za bogaczami bo biedacy naszego pokroju czują s. przy nich jak ogłupiali nieudacznicy. Chociaż akurat my wcale nie tacy znowu biedni. Powiedziałbym że średnio nam s. powodzi. Mamy mnóstwo szczęścia. Zdaję sobie z tego sprawę. Ale i tak nie w porządku że przy bogaczach średniacy naszego pokroju czują s. jak ogłupiali nieudacznicy.

Piszę to jeszcze nietrzeźwy i robi s. późno a jutro poniedziałek tzn. praca.

Praca praca praca. Głupia praca. Mam jej serdecznie dość.

Dobranoc.

(7 IX)

Właśnie przeczytałem ostatni wpis i muszę coś wyjaśnić.

Wcale nie mam dosyć pracy. Praca = przywilej. Nie nienawidzę bogaczy. Sam dążę do bogactwa. A kiedy już dorobimy s. własnego mostku, pstrągów, domku na drzewie, DSek itd. będziemy przynajmniej wiedzieli że naprawdę na to wszystko zapracowaliśmy w przeciwieństwie do takich choćby Torrinich którzy chyba są bogaci z domu.

Dziś w pracy w porze lunchu Jesienny Jubel. Wszyscy zjechaliśmy na parter i chyba z tysiąc osób wyszło przed gmach. Grało dyskretne trio. Ktoś rozdał pomarańczowo-żółte chorągiewki z nadrukiem „JJ" którymi niebawem prawie zasypano dziedziniec. Przecina go sztuczna rzeczka i wielu głupków upuściło do niej chorągiewki. Wkrótce zapchały filtr w 1 końcu więc konserwator chodził ze złą miną i próbował kijkiem wydłubać je z filtru a kilka chorągiewek sterczało mu z tylnej kieszeni.

Jak zwykle podano płaskie suche kanapeczki. Zanim nasza grupa zjechała na dół wiele kanapeczek ze śladami obcasów leżało już na ziemi wokół stołu z zimnym bufetem.

Padliśmy na wał nad rzeczką i jedliśmy w pośpiechu.

Siedziałem myśląc o Evie. Jaka ona słodka. Wczoraj wieczór po przyjęciu zajrzałem do jej sypialni. Była smutna. Pytam, czemu. Mówi że bez powodu. Ale w bloku narysowała kredkami rząd smutnych DSek. Że miały być smutne, poznałem po zmarszczkach na twarzach jak u Fu Manchu i po łzach które padały łukiem a wszędzie gdzie spadły wyrastał kwiat. Zadanie: pogadać z nią, wyjaśnić że to nie boli, a one wcale nie smutne tylko szczęśliwe, zważywszy w jakich przedtem żyły warunkach: same wybrały, są rade itd.

W Narodowym Radiu Publicznym b. wzruszająca audycja o DSce z Bangladeszu która wysłała do domu pieniądze więc jej rodzice mogli zbudować chatkę. (Zadanie: znaleźć w necie, ściągnąć, puścić Evie. Przedtem naprawić komp. Strasznie jest wolny. Za mało pamięci? Może usunąć Przegranego Cyrkowca? Akrobaci z braku pamięci cali w drgawkach + słonie nie skaczą = żadna frajda).

Niebawem zrobiła s. prawie pierwsza, pora wracać do pracy. Staliśmy w windzie sami mężczyźni w krawatach, czerwoni na twarzach, niektórzy wciąż z suchymi kanapeczkami w dłoniach i żartowaliśmy że mamy już dość Jesiennych Jubli, niech Jesienne Juble wylądują w kuble itd., itp. I nagle zakłopotane milczenie i każdy w myślach powtarzał co przed chwilą z takim entuzjazmem i żarem mówił jak w konkursie na najgłupszy tekst.

Potem krótko ukradkiem zerkaliśmy w lustro na suficie windy podpatrując łysiny itd., itp., ciekawi, jak wyglądamy z góry.

Ptaki widzą chyba we mnie jakieś dziwadło – powiedział Anders.

Nikogo to nie rozśmieszyło, wszyscy tylko prychnęli śmieszkiem pro forma żeby Andersowi nie było przykro bo niedawno umarła mu matka.

(8 IX)
Przed chwilą wróciłem z długiego spaceru po Woodcliffe.

Co krok mężczyźni w moim wieku czytali w głębokich fotelach pod dostatnim pomarańczowym światłem lamp. Gdzie mój głęboki fotel? Gdzie pomarańczowe światło? Nie mam głębokiego fotela, dostatniego światła ani pokoju o ścianach wyłożonych książkami. Czemu wiszą u nas takie kulawe obrazki i to tylko 2? 1 sprowadzony z Targetu przedstawia staroświeckie auta a drugi kupiony na garażowej wyprzedaży banalną plażę z diabelskim młynem. Czemu tak nam kiepsko idzie w tej sprawie? Gdzie nasz kosztowny oryginał w ramie, z podpisem artysty? (Zadanie: Zaprzyjaźnić s. z młodym artystą? Młody artysta nas odwiedza i pod wrażeniem rodziny darmo maluje zbiorowy portret? Ale rama i tak droga. Może artysta pod wrażeniem rodziny sam oprawi obraz tzn. rama = część prezentu?) W Woodcliffe wszędzie przepych. Piękne klomby, nocna woń cedrowej mierzwy, w blasku księżyca motorówki na trawnikach. Za dużym domem z wieżyczkami na rogu Longfellow + Purdy Way podwórko opada stokiem ku 200 m wypielęgnowanej trawy nad którą w ciemnościach bezgłośnie wisi 15 (sam liczyłem) DSek a ich koszulki bieleją w księżycowej poświacie. Dech zapiera. Przy każdym powiewie wiatru nieco s. przechylają a koszulki i włosy (długie, rozpuszczone, czarne) zawisają pod tym samym kątem. Niesamowite kwiaty (tulipany, róże i coś jaskrawo pomarańczowego, a obok białe kiście na długich łodygach) drżą na wietrze, papierowo szeleszcząc. Z domu słychać flet. Przypomina dawne czasy i ówczesnych krezusów którzy zakładali przepyszne ogrody i spacerowali po nich, głośno filozofując gdyż bogactwo ziemi w służbę ich rozkoszy zaprzęgnięto itd., itp.

Wiatr ustaje, wszystko wraca do pionu. Z drugiego końca trawnika ciche westchnienia i parę wymamrotanych zdań w obcym języku. Może mówią dobranoc? A może we własnym narzeczu: O materdeju, ależ powiało?

O mało nie podszedłem bliżej s. przyjrzeć i może nawiązać rozmowę ale w ostatniej chwili stop: Nie, stój, teren prywatny, zły pomysł.

Chwilę stałem patrząc, myśląc, modląc s.: Panie, daj nam więcej. Daj nam dość. Pomóż nie zostać w ogonie. A raczej pomóż nie zostać jeszcze bardziej niż dotąd. Ze względu na dzieci. Niech nie ucierpią przez nasze nienadążanie.

O nic więcej nie proszę.

Rozszczekał s. pies. Przebiegł między 2 DSkami i 1 krótko wrzasnęła. Ale pies uwiązany. Łańcuch szarpnął go w tył.

Z domu: Spokój, Brownie! Brownie, leżeć!

Słyszałem to stojąc w cieniu drzewa a potem szybko odszedłem.

(12 IX)
Za 9 dni urodziny Lilly. Trochę strach. Za duża presja. Nie chcę nieudanej imprezy. Czemu problem? Może odbija mi s. własnymi 13 urodzinami? Jazda konna i Ken Dryzniak prawie sparaliżowany po upadku? No i ciasto sczerstwiałe. Kate Fresslen zlękła s. węża. Tata zabił go motyką i kawałki rozleciały w powietrzu, brudząc sukienkę Kate? A może urodzinowy stres = u rodziców norma?

Prosiłem Lilly o listę urodzinowych prezentów. Dziś po pracy zastałem kopertę z napisem LISTA POMYSŁÓW NA PREZENTY. W środku wycinki z katalogu: *„Spoczywająca drapieżność". 2 drapieżne porcelanowe koty z dżungli obłaskawiono (przynajmniej chwilowo!) na kunsztownie zdobionych poduszkach, lecz ich dzikości nie wolno lekceważyć. Zwrócony w lewo gepard: $350. Zwrócony w prawo tygrys: $325.* I na przylepnej karteczce: TATO, NAGRODA POCIESZENIA: *Figurka „Dziewczyna czyta siostrzyczce": Ta scenka z dzieciństwa, dzieło Daniego, rzeźbiarza z Nevady, przypomni wam w wydaniu porcelanowym radość „dobranocek" i znanych wszystkim tkliwych chwil. Dziewczyna i mała dziewczynka czytają na polerowanym kamieniu: $280.*

Ogarnęło mnie zniechęcenie, bo 1) dlaczego 12latka marzy akurat o takich prezentach dobrych dla starszej pani i 2) skąd u 12latki pomysł że $300 to w sam raz cena urodzinowego prezentu? Myśmy dostawali 1 koszulę której wcale nie chcieliśmy, przeważnie domowego szycia. Raz dostałem piłkę do kosza ale czerwono-biało-niebieską w stylu ABA z nie wiadomo po co narysowanym klaunem. W dodatku za mocno s. odbijała: po każdym koźle unosiła s. ½ m wyżej niż normalna. Kumple mówili na nią „pchła". Oczywiście nie kosztowała $300. Pewnie mama ją kupiła za kupony od mydła. Dała mi zawiniętą w koszulę domowego szycia ze zwisającym długim rękawem. Potem kazała włożyć i wyjść „pokazać s. kolegom w koszuli". Sfotografowała jak próbuję kozłować skoczną piłką a mój kumpel Al trzyma koniec długiego rękawa że niby: jejku ale długachny rękaw. Na zdjęciu widać tylko dolną obłość piłki jak zaokrąglony spód księżyca, bo wyskoczyła z kadru. Chris M. patrzy w górę na ten piłksiężyc i s. zdumiewa/wzdryga.

Nie chcę jednak łamać Lilly serca ani surowo jej wypominać jakie mamy skromne możliwości. Bóg wie że ona i tak dość często dostaje surowe napomnienia. Kiedy pani w szkole dała dzieciom zadanie „Moje podwórko", Leslie Torrini przyniosła zdjęcia orientalnego mostku i informacje o DSkach (kraj pochodzenia, wiek itd.) tak jak „wszystkie dzieci z klasy" a Lilly miała tylko pudełko po prezerwatywach z lat 40stych znalezione w zeszłym roku podczas nieudanej próby założenia warzywnika. Może to był kiks z mojej strony, pozwolić jej wziąć do szkoły pudełko po kondomach?

Uznałem że jako obiekt historyczny będzie na miejscu a mało kto zauważy po czym to opakowanie. Ale nauczycielka zauważyła i dzieciom też zwróciła uwagę. Uśmiały s. do rozpuku a ona przy okazji podyskutowała o bezpiecznym seksie – z pożytkiem dla klasy ale niekoniecznie dla Lilly.

Co do imprezy to Lilly powiedziała że woli nic nie urządzać. Spytałem: czemu, skarbie? Powiedziała: a bo nie. Spytałem czy to dlatego że podwórko i dom brzydkie? Boisz się że impreza w małym domu i na gołym podwórku będzie nudna albo żenująca?

Rozpłakała się i westchnęła: Och tatusiu.

Jedna figurka to właściwie nie byłaby jeszcze przesada. Tzn. byłaby ale usprawiedliwiona bo Lilly miała taką smutną minę kiedy w dniu „Mojego podwórka" wróciła ze szkoły i z westchnieniem upuściła na stół pudełko po prezerwatywach.

A może „Dziewczyna czyta siostrzyczce", bo najtańsza? Ale czy najtańszy prezent nie zrobi złego wrażenia? Że sknerstwo wzięło górę nad hojnością? Może lepiej pójść na całość. Kupić „Spoczywającą drapieżność"?

Zapłacić za geparda Visą i oby Lilly była rada z niespodzianki?

(14 IX)

Obserwowałem dziś Mela Reddena. Nieźle s. spisał. Ja też. Popełnił parę drobnych błędów a ja wszystkie wyłapałem. Był 1 błąd w Sortowaniu Śmieci: wyrzucił puszkę po coli do nie tego wiadra. Wyrzucając puszkę po coli do nie tego wiadra popełnił też błąd Ergonomiczny bo rzucił z daleka i chybił więc musiał wstać i jeszcze raz rzucić. Potem zrobił 2gi błąd Ergonomiczny: nie przykucnął podnieść puszkę i znowu rzucić tylko zgiął się w pasie ryzykując kręgosłup. Poświadczył moje Spostrzeżenia i poprosił o Ponowną Obserwację. B. sprytnie. I wtedy już był bezbłędny. Nie wyrzucał puszek do wiadra. Nie popełniał Ergonomicznych błędów tylko siedział całkiem bez ruchu za biurkiem. Mogłem zatem dołączyć te spostrzeżenia do jego Wyników. Rozstaliśmy s. w zgodzie itd., itp.

Jeszcze tydzień do urodzin L.

Zadanie: zamówić geparda.

Nie takie proste. Ostatnio kłopoty z Visą. Limit wyczerpany. A nawet debet. Okazało się we włoskiej knajpce kiedy Visę odrzuciło. Zostawiłem Pam z dziećmi, szybko wyszedłem z szerokim sztucznym uśmiechem i pojechałem do ATM. Chwila grozy bo ATM skrewił. Okoliczny menel powiedział że ATM popsuty i wskazał drogę do innego ATM. W podzięce machnąłem mu ręką przejeżdżając obok. Pokazał mi palec. Drugi ATM dzięki Bogu niepopsuty, nie skrewił.

Wróciłem zdyszany do włoskiej knajpki. Pam piła 3cią kawę, dzieci spadały z krzeseł i stukały w akwarium bilonem, a kelnerzy mieli rozdrażnione miny. Zapłaciłem gotówką i na przeprosiny dałem wielki napiwek. Zastanawiałem s. czy nie zabrać dzieciom bilonu (!). Ale w sumie udany wieczór. Dobra zabawa. Dzieci s. sprawowały dopóki nie zaczęły zbytkować przy akwarium. Ale wciąż ten kłopot: Visa wyczerpana, AmEx też. Discover prawie. Zadzwoniłem do Discover: dostępne $200. Gdybyśmy po najbliższej wypłacie przelali $200 z rozliczeniowego, miałbym w Discover $400 dostęp. Starczy na geparda. Tylko jak to zgrać w czasie. Obecnie rozliczeniowy na zerze. Poczekać na wypłatę, czym prędzej słać czek na rozrachunkowe i oby szybko rozliczyli. A potem przy płaceniu rachunków te na $200 przeznaczyć do niespłacenia. Odwlec spłatę.

Ostatnio cienko przędziemy.

Uwaga do przyszłych pokoleń: W naszych czasach są tak zwane karty kredytowe. Firma pożycza ci pieniądze a ty zwracasz z wysokim oprocentowaniem. Miło, kiedy akurat nie masz pieniędzy na coś co chcesz zrobić (np. kupić rozrzutnie geparda). Spytacie może, bezpieczni w tej waszej przyszłości: Nie lepiej po prostu nie robić nic nad stan? Łatwo s. mówi! Nie żyjecie tu, w naszym świecie, z dziećmi, z kochanymi maleństwami, podczas gdy inni ludzie robią swoim dzieciom coś dobrego, np. biorą je do Nicei w podróż śladami historii jak państwo Mancini albo na 3 tygodnie nurkowania we wrakach u brzegów Bahamów jak Gary Gold swojego opalonego wymuskanego synalka Byrona.

Od tych wszystkich ograniczeń ręce opadają.

Tyle chciałbym zrobić i przeżyć, tyle dzieciom dać. Czas szybko mija a one prędko rosną. Jak nie teraz to kiedy? Kiedy będziemy dla nich szczodrzy i damy im odczuć hojność? Nigdy nie byliśmy na Hawajach, nie latali na spadochronie za motorówką ani nie jedli lunchu w nadmorskim barze mając na głowach miękkie kapelusze ze słomy kupione dla kaprysu. Stąd zmartwienie: Czy dzieci wychowane w ubóstwie nie będą zbyt ostrożne? Nie żeby naprawdę żyły w ubóstwie. Są jednak rzeczy których chcemy ale nas nie stać. Jeśli z powodu ubóstwa wpoimy dzieciom nadmiar ostrożności, a nuż świat je przeżuje i wypluje? Chciałbym kupić wielki kufer, ozdobić go jakby w środku był skarb, zakopać, narysować mapę, schować ją i niby to mimochodem naprowadzić dzieci na jej trop. A kiedy już ją znajdą, powiedzieć: Jesteście śmieszni, nie pozwalajcie sobie na wielkie marzenia, bądźcie ostrożni, oszczędni, bo świat okrutny. A jeżeli nie zaniechają poszukiwań i w końcu trafią na skarb, czy nie będzie to znakomita lekcja wytrwałości? Ale jak zrobić? Skąd wziąć kufer? Co do niego włożyć żeby nie za drogo? Jak wykopać głęboki dół? I kiedy? Weekendy zawsze zajęte. Gdyby nie brak pieniędzy nająłbym służącą i ogrodnika więc miałbym czas znaleźć kufer, napełnić go i zakopać. Albo kazać ogrodnikowi zakopać, jak już napełnię. Albo niech służąca napełni. Ale nie stać mnie na ogrodnika, na służącą, na kufer ze skarbem ani na skarb do schowania ani nawet na to, czego trzeba, żeby postarzyć mapę.

Muszę jednak stawić czoło! Myśleć o tacie. Kiedy mama go zostawiła, nie rzucił pracy. Gdy go zwolnili, został gazeciarzem. Kiedy i tę pracę stracił, wystarał s. o mniejszy rewir. Z czasem odzyskał poprzedni. Przed śmiercią miał niewiele gorszą posadę od tej którą stracił po odejściu mamy. I spłacił większość długów zaciągniętych po zmniejszeniu rewiru.

Zadanie: odwiedzić taty grób. Zanieść kwiaty. Pogadać z nim o różnych rzeczach które powiedziałem w okresie gazeciarskim, kiedy nie stać nas było na wynajęcie smokingu na maturę więc musiałem włożyć stary po tacie, nie w moim rozmiarze. Ale mogłem sobie darować chamstwo. Nie taty wina że był najmniej 30 cm wyższy więc nogawki s. wlokły zasłaniając tatowe buty które mnie piły bo tata miał małe stopy chociaż wysoki.

Z taty porządny gość. Całe życie na nas harował, nie zostawił samych i zawsze przynosił cukierki, nawet w smutnych początkach mniejszego rewiru.

(15 IX)

Niech to szlag. Plan = niewypał. Nie zdążymy przesłać czeku do Discover. Poświadczanie dłużej potrwa.

Tzn. nici z geparda.

Trzeba wymyślić coś inne dla Lilly żeby jej dać na imprezce w kuchni w rodzinnym gronie. A może będę musiał zrobić jak czasem mama kiedy nie mogła czegoś kupić: zawijała rysunek niedoszłego prezentu z obietnicą na kartce. Ale uwaga: nie rób, co potem mama: kiedy dziecko s. upominało, przewracała oczami i pytała zła, czy dziecku s. zdaje że pieniądze spadają z nieba.

Nie. Kiedy Lilly pokaże talon na balon, zaskoczę ją hojnością, zabiorę na wytworny lunch do najlepszej restauracji w mieście: wszyscy wystrojeni, właściciel podchodzi i mówi z francuskim akcentem „O, widzę że ktoś tu dzisiaj świętuje", Lilly zarumieniona (zadanie: nauczyć s. po francusku „tak, tak, dziś jej urodziny") a potem idziemy kupić figurki i żeby sprawić niespodziankę kupuję nie 1 ale 2 i to lepsze, droższe od tandetnego zasrańśtwa z katalogu.

Zadanie: znajdź reklamę z obrazkiem geparda żeby zrobić talon. Leżała na biureczku ale nie widzę. Ktoś zapisał na niej wiadomość z telefonu? Albo zgarnął nią kocią wypluwkę?

Zadanie: sprawdzić która restauracja w mieście najlepsza.

Biedna Lilly. Kiedy była malutka, z taką słodką, ufną minką paradowała w koronie z Burger Kinga, a teraz? Nie wiedziała że czeka ją los nie księżniczki tylko biednej dziewczynki. Niezamożnej. Nie najbogatszej.

Żadnej imprezy, żadnego prezentu. Może nawet żadnego rysunku geparda na talonie. Mógłbym sam narysować ale jeszcze by pomyślała że dostanie dromadera. A raczej nie dostanie. Kiepski ze mnie rysownik. Ha, ha! Nie upadać na duchu. Śmiech najlepszy lek itd., itp.

Kiedyś marzenia na pewno s. spełnią. Ale kiedy? Czemu nie teraz? Czemu nie?

Od 3 dni bez przerwy strasznie mnie boli głowa.

(20 IX)

Przepraszam za milczenie, ale numer!

Byłem za szczęśliwy/zajęty żeby pisać!

Piątek = najbardziej niewiarygodny dzień w życiu! Nie muszę go nawet zapisywać bo nigdy nie zapomnę tak niesamowitego dnia! Ale zapiszę dla przyszłych pokoleń. Niech wiedzą że pomyślność i szczęście naprawdę możliwe! Muszą wiedzieć że w Ameryce za moich czasów wszystko możliwe!

Dziwnie patrzeć na poprzedni wpis i widzieć słowa „Czemu nie teraz?", no bo właśnie! Właśnie s. stało!

O rany, o rany, o rany, tyle tylko mogę powiedzieć! Pamiętacie wcześniejszy wpis że w porze lunchu zawsze kupuję zdrapkę? Pisałem? A może nie? No więc w piątek wygrałem 10 PATYKÓW! Każdego piątku w nagrodę za dobrą pracę wstępuję do sklepu niedaleko domu i funduję sobie baton + zdrapkę.

Czasem po ciężkim tygodniu 2 batony. A po b. ciężkim 3. Ale wtedy już bez zdrapki. No i w piątek wygrałem 10 PATOLI! W zdrapkę! Upuściłem oba batony, szczęka mi opadła i tak zostałem z miedziakiem od zdrapania w ręku. Zatoczyłem s. prosto w stelaż z czasopismami. Facet wyjął mi z ręki zdrapkę, przeczytał i mówi: Wygrany! Wyszedł zza lady, naprostował stelaż i podał mi rękę.

I powiedział że dostaniemy czek, czek na 10 PATYKÓW w ciągu tygodnia.

Pobiegłem do domu zapomniawszy o aucie. Pobiegłem z powrotem po auto. W połowie drogi myślę czort z autem więc pobiegłem do domu na piechotę. Pam wybiegła przed dom pyta gdzie auto? Pokazałem jej zdrapkę. Stanęła na podwórku jak wryta.

Jesteśmy nareszcie bogaci? – spytał Thomas, wybiegając z domu i ciągnąc Ferbera za obrożę.

Mało, bogaci, Pam na to.

Bogacze, mówię.

Bogacze, powtarza Pam. Szlag.

I wszyscy zatańczyliśmy na podwórku. Ferber jakby zgłupiał na ten widok ale zaraz też zatańczył za własnym ogonem.

Potem oczywiście musieliśmy zdecydować na co wydać. Wieczorem w łóżku Pam pyta: może częściowo spłacić karty? Czułem że owszem, dobra, można by. Ale wcale mnie to nie podniecało i ją chyba też nie b.

Pam: Miło byłoby zrobić coś ekstra na urodziny Lilly.

Ja: No właśnie, zróbmy!

Pam: Warto by jej coś zafundować, ostatnio jest zdołowana.

Ja: Wiesz co, zafundujmy.

Lilly u nas najstarsza więc mamy do niej słabość i to nasz słaby punkt bo się o nią martwimy.

No więc wysmażyliśmy plan a potem wykonaliśmy.

Tzn. pojechałem do Greenway Landscaping i zamówiłem nowiutki projekt podwórka: 10 krzewów róż + cedrowa ścieżka + jeziorko + podgrzewany basenik + instalacja z 4 DSek! Frajda w znacznej mierze zależała od tego jak szybko da s. zrobić i czy w sekrecie? Greenway na to że za odpowiednią cenę zdążą w 1 dzień kiedy dzieci w szkole. (Zadanie: pochwalić w liście Melanie, dziewczynę od Greenwaya: superkoordynatorka).

Potem rozesłaliśmy sekretne zaproszenia na niespodziewane przyjęcie wieczorem po ukończeniu podwórka tzn. jutro, tzn. dlatego przez zeszły tydzień tak milczałem odnośnie do tego dziennika, przepraszam, przepraszam, po prostu nawał zajęć!

Pam i ja współpracowaliśmy świetnie jak za dawnych lat, miło i blisko, w pełnej zgodzie, a gdy wszystko już przyklepane, wieczorem wcześnie do łóżka (!!). (Scenariusz z masażystką, nie pytajcie!).

Przepraszam jeżeli prostacko.

Jestem szczęśliwy i już.

Czasem przez nawał zajęć nie widzę jej/ona mnie. Ale kiedy s. jednak widzimy, jest jak na początku, choćby na tej 1szej randce nad Melody Lake, gdy weszliśmy do jaskini grotołazów i pocałowaliśmy s. obok tłumu siwobrodych animacji wśród woni chlorowej mgły z pobliskiego jasnoniebieskiego wodospadu.

Tak s. zaczęła nasza piękna historia.

B. szczęśliwy.

Uwaga do przyszłych pokoleń: Szczęście możliwe. I dużo lepsze niż przeciwieństwo, tzn. smutek. Mam nadzieję że wiecie! Ja wiedziałem ale zapomniałem. Przywykłem do lekkiego smutku! Do zasmucenia przez stres i zamartwianie ograniczeniami. Ale teraz, o rany, na odwrót: szczęśliwy!

Jutro wielka impreza na cześć Lilly.

(21 IX! Urodziny Lilly (!))

Bywają dni tak doskonałe że człowiek czuje: O to w życiu chodzi. Na starość będzie czuł: warto było żyć, skoro zdarzył mi s. ten doskonały dzień.

Dziś był właśnie taki.

Chyba za b. mnie nosi żebym dał radę opowiedzieć po kolei + zmęczenie długim wspaniałym dniem. Ale spróbuję.

Rano dzieci jak zwykle do szkoły. Greenway przyjechał o 10.00. Fajni faceci. Byki! 1 z irokezem.

O 14.00 podwórko gotowe! Róże w ziemi, fontanna i ścieżka też. O 15.00 furgonetka przywiozła DSki. Wysiadły i nieśmiało stały przy płocie a monterzy ustawiali stelaż. Ładny. Wybraliśmy Lexington (średni przedział cen): słupki z brązu z kolonialnymi zwieńczeniami, poręczne dźwignie.

DSki już w białych koszulkach. Mikrolinka przewleczona. DSki przytrzymują luz jak himalaistki. Tylko że tu żadnych H.! 1 kuca, inne stoją uprzejmie/nerwowo, 1 wącha nowe róże. Nieśmiało macha ręką, inna mówi do niej coś jakby: Nie wolno machać. Ale ja odmachuję na znak że w tym domu machanie OK.

Zgodnie z prawem instalację nadzoruje lekarz. Młodziutki! Wygląda jak pracownik fast foodu. Mówi że możemy s. przyjrzeć windowaniu ale nie musimy. Patrzy na mnie znacząco i zerka na Pam że niby: żona delikatna? Owszem, trochę. Czasem nie lubi dotykać surowej kury. Mówię wejdźmy do domu, ustawmy świeczki na torcie.

Niebawem puk do drzwi: doktor mówi że już wywindowali.

Ja: Możemy iść popatrzeć?

On: Jak najbardziej.

Wychodzimy. DSki wiszą +- metr nad ziemią, uśmiechnięte, kołysane wietrzykiem. Od lewej do prawej: Tami (Laos), Gwen (Mołdawia), Lisa (Somalia), Betty (Filipiny). Efekt oszałamiający. Kiedy tyle razy s. widywało podobne konfiguracje na podwórkach zamożniejszych domów własne podwórko wydaje s. nagle zamożne i człowiek ma o sobie inne mniemanie jakby nareszcie dotrzymał kroku ludziom mu równym i epoce.

Jeziorko wspaniałe. Róże też. Ścieżka i gorący basenik również.

Wszystko gra.

Nie mogłem uwierzyć że s. udało.

Odebrałem Lilly ze szkoły przed końcem lekcji. Ona nos na kwintę bo niby urodziny ale nikt przy śniadaniu nie złożył życzeń, nie ma imprezy ani prezentów jak dotąd, a teraz jeszcze musi jechać do lekarza na zastrzyk?

Bo to była taka zmyłka.

W aucie udałem że zabłądziłem. Lilly (zniechęcona): Tato, jakim cudem żeś zabłądził, przecież Hunneke leczy nas od wieków? (Pam zawczasu ukartowała to z pielęgniarką więc jak wreszcie „znalazłem" gabinet, siostra wyszła i mówi lekarz chory i to tak ciężko że nie może zrobić zastrzyku: 1sza superniespodzianka dla Lilly!)

Tymczasem w domu: Pam, Thomas i Eva dekorują na wyścigi. Przyjechało zamówione jedzenie (pieczyste ze Snakey's). Zjeżdżają s. koleżanki i koledzy, więc Lilly wysiada z auta i co widzi? Całe nowe podwórko pełne wszystkich koleżanek i kolegów ze szkoły którzy siedzą przy nowym piknikowym stole obok gorącego baseniku (zadanie: napisać pochwałę dzieci za podziwu godną powściągliwość/dochowanie sekretu) i nowiutką girlandę 4 DSek więc dosłownie zalewa s. łzami szczęścia!

I znowu w płacz bo rozwijamy błyszczące różowe paczuszki ze „Spoczywającą drapieżnością" + „Dziewczyną czytającą siostrzyczce". Lilly wzruszona że dokładnie zapamiętałem o które prosiła. + „Oszołomienie latem" (włóczęga-błazen łowiący ryby ($380)) chociaż nie prosiła (ale na dowód hojności). Kilka kolejnych fal radosnych łez, uściski na oczach koleżanek i kolegów jakby wdzięczność/tkliwość wobec nas wzięła górę nad obawą wydrwienia przez dzieci.

Goście bawili się w to co zwykle, w „Strzał z bicza" itp., itd. Nowe podwórko jakby dodało zabawom energii. Dzieci wesołe, dziękowały nam za zaproszenie, a kilkoro powiedziało że podwórko piękne. Niektórzy rodzice zostali dłużej i też chwalili podwórko.

A jaką Lilly miała minę kiedy już wszyscy s. rozjechali, o mój Boże!

Wiem że na zawsze zapamięta ten dzień.

Tylko 1 drobny minus: w czasie sprzątania po imprezie Eva odchodzi głośno tupiąc, bierze kota na ręce zbyt szorstko, bo czasem tak robi, kiedy wściekła. Kot ją drapie, biegnie do Ferbera i ciach go pazurami. Ferber ucieka, zawadza o stół, róże kupione dla Lilly spadają na psa.

Znajdujemy Evę w szafie.

Pam: Skarbie, skarbie, o co chodzi?

Eva: Nie podoba mi s. to. Nic miłego.

Thomas (podbiega z kotem żeby pokazać że to jego kot): Eva, przecież one tego chcą. Normalnie s. zgłosiły.

Pam: Nie mów „normalnie".

Thomas: Same s. zgłosiły.

Pam: Tam skąd pochodzą niewiele jest możliwości.

Ja: Dzięki temu mogą zadbać o tych których kochają.

Eva twarzą do ściany, wydyma dolną wargę jakby miała zaraz płakać.

Mam pomysł: idę do kuchni przejrzeć Osobiste Oświadczenia. Szlag! Gorzej niż myślałem: Laotanka (Tami) zgłosiła s. bo 2 siostry już w burdelach. Kuzynka Mołdawianki (Gwen) pojechała do Niemiec myć okna i trafiła do seksniewoli w Kuwejcie (!). Somalijka (Lisa) patrzyła jak ojciec i młodsza siostrzyczka umierają na AIDS w chatynce pod strzechą, oboje w 1 rok. Filipinka (Betty) ma braciszka „b. zdolnego do komputerów" ale rodziców nie stać na liceum a mieszkają z 3 innymi rodzinami w maleńkiej przybudówce odkąd ich własną maleńką przybudówkę zmiotło ze wzgórza trzęsienie ziemi.

Wybieram „Betty", wracam do szafy i czytam „Betty" na głos.

Ja: Lepiej ci? Już rozumiesz? Potrafisz sobie mniej więcej wyobrazić że jej braciszek idzie do dobrej szkoły dzięki niej, dzięki nam?

Eva: Skoro chcemy im pomóc, czemu nie możemy po prostu im dać tych pieniędzy?

Ja: Och, skarbie.

Pam: Chodźmy popatrzeć. Zobaczymy czy mają smutne miny.

(Nie mają. A nawet cicho gawędzą w blasku księżyca).

Przy oknie Eva cicha. Głęboka studnia. B. wrażliwa. Od maleńkości. Kiedy umierał poprzedni kot Zygzak sypiała przy jego legowisku i poiła wodą przez zakraplacz do oczu. Dobre serce. Ale zmartwienie dla mnie i dla Pam: jeżeli nadwrażliwe dziecko wyjdzie w świat to on mu wypruje flaki, tzn. trzeba trochę twardości?

Za to Lilly dziś wieczór za 1 posiedzeniem napisała wszystkie kartki z podziękowaniami, nieproszona zmyła na mokro podłogę w kuchni i wyszła z latarką na podwórko pozbierać po Ferberze koło jego budy nowymi grabkami po które widocznie pojechała rowerem do FasMartu i kupiła je za własne pieniądze (!).

(22 IX)
Dobra passa trwa.

W pracy wszyscy ciekawi wygranej w zdrapkę. Przyniosłem do biura zdjęcia podwórka, powiesiłem w boksie, ludzie s. zeszli i podziwiali. Steve Z. spytał czy mógłby kiedyś do nas wstąpić obejrzeć podwórko. Przełom: Steve Z. nigdy słowem do mnie s. nie odezwał. Nawet prosił o radę: gdzie kupiłem wygraną zdrapkę, ile zdrapek zwykle kupuję i czy Greenway = renomowana firma.

Wstyd przyznać jak b. mnie to uszczęśliwiło.

W porze lunchu poszedłem do sklepu kupić 4 nowe koszule. W naszym dziale stale żartują że mam tylko 2. Nieprawda. Ale mam 3 podobne niebieskie i 2 identyczne żółte. Stąd nieporozumienie. Raczej nie kupuję sobie nowych ubrań. Zawsze uważałem że przede wszystkim dzieci muszą mieć nowe ubrania, tzn. nie chciałem żeby inne dzieci mówiły że moje mają tylko 2 koszule itd., itp. A znów Pam to piękność wychowana w dostatku. Nie chcę żeby dawna zamożna piękność chodziła ciągle w 1nych ciuchach, czując: za młodu miałam tyle ubrań a teraz przez niego (tzn. mnie) noszę byle co.

Sprostowanie: Pam nie wyrosła w dostatku. Jej ojciec = małomiasteczkowy farmer. Miał największą farmę na skraju mieściny. Tzn. w porównaniu z dziewczynami z mniejszych, biedniejszych farm Pam = bogata. Ta sama farma pod większym miastem byłaby ledwie przeciętna ale przy mieścinie skromna farma = włości.

W każdym razie Pam należy s. co najlepsze.

W drodze powrotnej wstąpiłem do sklepu w którym wygrałem w zdrapkę. Kupiłem jeszcze 1ną + 4 batony. Wspomniałem dawne podłe czasy kiedy w śmiechu wartej starej koszuli miałem złe samopoczucie/wyrzuty sumienia że kupuję choćby 1 baton.

Facet za ladą pamiętał mnie. Powiedział: Witam, panie Zdrapka, panie Wygrany!

Wszyscy w sklepie spojrzeli. Pomachałem batonami, po 2 w każdej ręce, jak berłami, miniberłami, i wyszedłem szczęśliwy.

Czemu szczęśliwy?

Miło wygrać, miło być wygranym i znanym z wygranej.

Po powrocie skręciłem za dom zerknąć na podwórko. Niesamowite: ryby zawisły w wodzie przy liściach lilii, pszczoły bzyczą wokół róż, DSki w świeżych białych koszulkach, promień słońca skosem przez trawnik, pyłki kurzu wznoszą s. wśród senności schyłku lata. Ekipa LifeStyleServices (ludzie od Greenwaya którzy przyjeżdżają 3 x/dzień nakarmić/napoić DSki, zaprowadzić je do łazieneczki z tyłu furgonetki, zadbać o kobiece sprawy itd., itp.) przy robocie.

Dziewczyna od Greenwaya: To miejsce jakby zaczarowane.

W domu zastałem Leslie Torrini (!). Wielkie wydarzenie. Nigdy sama u nas nie była. Podoba jej s. że nasze DSki wiszą nad jeziorkiem i w nim s. odbijają.

Dzwoni do mamy że chce jeziorko. Mama na to że Leslie = rozpuszczony bachor i nie ma mowy o jeziorku. Dla Lilly to wielki sukces. Nie żeby nas cieszyło cudze zmartwienie. Ale Leslie często s. cieszy kiedy Lilly wcale nie, więc może nic złego jak 1 raz Leslie trochę smutna a Lilly w euforii?

Dziewczynki idą na podwórko i długo tam zostają. Pam i ja ukradkiem wyglądamy. Dziewczynki w komitywie? Siedzą głowa przy głowie w cieniu drzew i dziewczęco się sobie zwierzają, ugruntowując rangę Lilly jako przyjaciółki Leslie? Trudno wyczuć. Usiadły tyłem do nas.

Matka Leslie przyjeżdża bmw. Krótka sprzeczka z córką o jeziorko.

Mama Leslie: Les, kochanie, masz już przecież 3 strumienie.

Leslie (jadowicie): A czy strumień to jeziorko, *Maman*?

Odjeżdża z mamą.

Lilly wdzięczna, cmoka mnie w policzek i biegnie na górę wesoło śpiewając.

Jestem b. rad. Czuję że los sprzyja. Czym zasłużyliśmy? Częściowo, owszem: szczęśliwy traf. Wygrana w zdrapkę = traf. Ale jak mówi przysłowie, szczęśliwy traf w 90% = umiejętność. Albo przygotowanie? Przygotowanie = 90% umiejętności? Umiejętność = w 90% szczęśliwy traf? Nie pamiętam dokładnie. W każdym razie trzeba przyznać że umieliśmy skorzystać ze szczęśliwego trafu. Nie zwariowaliśmy, nie kupiliśmy jachtu ani narkotyków (!), nie odbiło nam, nie wpadliśmy w malkontenctwo, nie wdaliśmy s. w romanse, nie zadarliśmy nosa. My tylko uważnie przyjrzeliśmy s. rodzinie, zobaczyliśmy czego komu (tzn. Lilly) trzeba i cicho/pokornie zadbaliśmy żeby dostała.

Zadanie: A jakby tak pozytywnymi uczuciami z wygranej w zdrapkę objąć wszystkie sfery życia? Bardziej udzielać się w pracy. Błyskawicznie piąć s. po drabinie (radośnie, z uśmiechem), dostać podwyżkę. Osiągnąć życiową formę, lepiej s. ubierać. Uczyć s. na gitarze? Starać s. zauważać piękno w świecie? Może kształcić s. odnośnie ptaków, kwiatów, drzew, gwiazdozbiorów, zostać prawdziwym obywatelem świata przyrody, spacerować z dziećmi po okolicy, cierpliwie ucząc je nazw ptaków, kwiatów itd., itp.? Zabrać do Europy? Nigdy tam nie były. Nigdy nie piły w alpejskim zajeździe gorącej czekolady podanej przez miłego siwego oberżystę któremu wydają s. o tyle bardziej wyrobione/przyjazne niż większość zarozumiałej/bogatej młodzieży amerykańskiej (która zawsze ignoruje jego ładną, lecz kaleką córkę z warkoczami) że staruszek pokazuje im ukryty szlak na przepiękną polanę gdzie dzieci następnie zbytkują, siadają na trawie z kaleką ślicznotką a potem mówią że to najpiękniejszy dzień w ich życiu, piszą mejle do kalekiej ślicznotki, załatwiamy jej tu operację, wzruszony chirurg zgadza s. operować darmo, dziewczyna trafia na pierwszą stronę tutejszej gazety a my na pierwszą gazety w Alpach?

Ha, ha.

Po prostu jestem szczęśliwy.

Stąd te fantastyczne mrzonki.

(Sam też nigdy naprawdę nie byłem w Europie. Tata twierdził że tam dają za małe porcje. Potem stracił pracę, zaczął roznosić gazety i wielkość porcji = bez znaczenia).

Szedłem dotąd przez życie jak lunatyk, przyszły czytelniku. Teraz to widzę. Wygrana w zdrapkę = pobudka. Z tego całego pośpiechu żeby skończyć studia, zdobyć Pam, znaleźć pracę, spłodzić dzieci i awansować zapomniałem to dawne uczucie że czeka mnie wyjątkowy los, które miewałem we wczesnym dzieciństwie kiedy siedziałem w pachnącej cedrem szafie w sypialni patrząc przez wysokie okna jak wiatr kołysze drzewami i czując że dokonam w życiu wielkich rzeczy.

Niniejszym postanawiam żyć po nowemu, z większą mocą, poczynając od TEJ CHWILI (!).

(23 IX)
Eva trudna.

Jak już chyba wspomniałem, Eva wrażliwa. Wg Pam i mnie to dobrze: oznaka inteligencji. Ale Eva chyba uznała wrażliwość za sposób zwracania na siebie uwagi tzn. nauczyła s. wynosić nad innych, może aby s. wyróżnić, uchodzić za lepszą, subtelniejszą? Dawniej nie chciała jeść mięsa, siadać na skórzanych meblach, jeść plastikowym widelcem z Chin. U małego dziecka miało to nawet urok. Ale Eva coraz starsza więc ta pryncypialna przekora wygląda trochę minoderyjnie + staje s. podstawą jej wyobrażenia o sobie?

Przyszły czytelniku, życie rodzinne w naszych czasach chwilami przypomina grę w „walnij kreta". Przyszłe pokolenia jeszcze w to grają? Plastikowy kret s. wychyla, walisz go młotkiem, on zdycha, pada, drugi s. wychyla, walisz, zabijasz? Może wyda ci s. dziwna/brutalna ta gra, przyszły czytelniku? Który już nawet nie musisz jeść żeby żyć? Tylko cały dzień lewitujesz, ciepło s. uśmiechając do sąsiada? Nieraz ma s. wrażenie że ledwie jedno dziecko zadowolone, zaraz drugie „s. wychyla" tzn. zgłasza skargę więc rodzic musi je „walnąć" tzn. zająć s. skargą.

Widać teraz kolej Evy.

Dziś jej nauczycielka pani Ross przysłała nam uwagę: Eva rozrabia. Naburmuszona. Tupnęła nogą, rzuciła pojemnik rybiej karmy w Johna M. kiedy s. upomniał o swoją kolej przy karmieniu ryb. Niepodobne do Evy, pisze pani R: Eva = najsłodsze, najlepsze dziecko w klasie.

Jej rysunki też ostatnio zdziwaczniały.

Załączam przykład dziwnego rysunku:

Typowy dom (widzę że nasz bo obok migdałowiec = kłębek różu). Na podwórku DSki marszczą brwi. 1 („Betty") myśli w komiksowym dymku: AJ! CO ZA BUL. 2ga („Gwen") długim kościstym palcem wskazuje dom: PIENKNE DZIENKI. 3cia („Lisa") zapłakana: A JAK BYMBYŁA WASZA CURKA?

Pam: No, jednak jej nie przechodzi.

Ja: Nie, nie mija.

Zabrałem Evę na przejażdżkę. Przejechaliśmy przez Eastridge, Lemon Hills. Pokazałem jej domy z DSkami. Kazałem liczyć. W sumie z około 50 domów 39 miało DSki.

Eva: Że wszyscy to robią, jeszcze nie znaczy że tak należy.

Uroczo. Małpuje mnie i Pam.

Na przejściu dla kaczek instalacja z 8 DSek: trzymają s. za ręce, ładnie (jak papierowe lalki). I chyba śpiewają chórem. 3 maluchów ugania s. wokół stelażu, 2 szczeniaki gonią maluchy.

Ja: O rany. B. nieszczęśliwie wyglądają.

(Eva bystra, dowcipna, więc często z nią żartuję).

Eva milczy.

Wstąpiliśmy do zajazdu Fritza, zjadłem wielką porcję lodów z bananem a Eva kręcone w rożku. Siedzieliśmy na wielkim drewnianym krokodylu patrząc jak słońce zachodzi.

Eva: Ja w ogóle... w ogóle nie rozumiem jakim cudem one jeszcze żyją.

Odetchnąłem z ulgą bo nagle do mnie dotarło: Eva uparta między innymi dlatego że nie rozumie aspektu naukowego. Spytałem czy wie co to kanał Sempliki. Nie wiedziała. Narysowałem na serwetce ludzką głowę i wyjaśniłem: Lawrence Semplica = lekarz + tęgi łeb. Wymyślił jak przewlec przez mózg mikrolinkę bez szkody ani bólu. Najpierw laserem wytycza kanał. Następnie przewleka mikrolinkę z jedwabną nitką prowadzącą. Mikrolinka wchodzi tędy (dotknąłem skroni Evy) a wychodzi tamtędy (dotknąłem drugiej). B. delikatnie, bez bólu, a DSki przez całą operację w narkozie.

No i postanowiłem wyłożyć kawę na ławę.

Wyjaśniłem: Lilly w przełomowym punkcie. Za rok do gimnazjum. Mama i tata chcą żeby poszła tam z podniesioną głową jako pewna siebie młoda kobieta, czując że jej rodzina równie dobra/zamożna jak inne a podwórko też mniej więcej z grubsza dorównuje cudzym tzn. nie odstaje aż tak jak przedtem tzn. Lilly nie musi s. go wstydzić. To za duże wymagania?

Eva milczała.

Widziałem że główkuje.

Eva szaleje za Lilly, skoczyłaby dla niej pod pociąg.

A potem opowiedziałem Evie jak będąc w liceum pracowałem w Señor Smaku (tortille). Gorąco, wszędzie tłuszcz, wredny szef ciągle nas szturchał w tyłki szczypcami. Zanim wróciłem do domu włosy zawsze całe przetłuszczone + koszula śmierdziała tłuszczem. Teraz za nic bym tam nie pracował. Ale wtedy? Właściwie to była frajda: podrywałem dziewczyny zza bufetu, razem z innymi pracownikami płatałem figle (chowałem wrednemu szefowi szczypce albo wsuwałem sobie w spodnie czasopismo więc jak szturchał szczypcami nie bolało a on zdziwiony).

Chodzi o to – powiedziałem – że wszystko względne. DSki żyły dotąd całkiem inaczej niż my. Ich życie brutalne, przykre, beznadziejne. Co nam s. wydaje straszne/niemiłe, im niekoniecznie bo widywały gorsze.

Eva: Podrywałeś dziewczyny?

Ja: Tak. Nie mów mamie.

Lekko s. uśmiechnęła.

Chyba trochę przełamałem lody. Oby. Dobrze że chociaż spróbowałem. Jak rodzice s. rozwodzili tata zabrał mnie na koktajl mleczny i powiedział o rozwodzie. Zawsze byłem mu za to wdzięczny. Dobrze było wiedzieć że myślał o mnie nawet kiedy musiało mu być smutno + mrocznie.

Mama romansowała z Tedem DeWittem, kolegą z pracy. Ciągle prawił komplementy że taka ładna a on tylko dla niej rano wstaje. Nie była tego zwyczajna. Tata ją kochał. Ale był małomówny. Nie z tych co w kółko gadają o miłości. Kochał po cichu, spokojnie. Na 10tą rocznicę ślubu kupił mamie elektryczną szlifierkę (!). Pieszczotliwie mówił na mamę

Makaron (bo taka wysoka). Żartował że mama wygląda jak wysoki chłopak. Czasem jak wchodził do kuchni to udawał zdziwienie na widok wysokiego chłopaka przy zlewie. DeWitt mamę oczarował. Zaczęła s. wykradać do hotelu na randki, pokochała go. (Wtedy o tym wszystkim nie wiedziałem. Dopiero po latach tata mi opowiedział, pod sam koniec życia).

Kiedy siostra Dolores zwiedziała s. o rozwodzie, zatrzymała dzieci w klasie przez całą przerwę i palnęła wykład że rozwód = śmiertelny grzech a życie pozagrobowe dla rozwodników to żaden piknik i kazała wszystkim s. modlić za dusze moich rodziców. Wszyscy wściekle na mnie łypali że niby: przez ciebie nie mamy przerwy.

Wszystko to bolało.

Wciąż boli.

Stąd mój upór żeby być dobrym ojcem/mężem i dla dzieci podporą.

Wieczorem omówiłem z Pam sprawę Evy. Pam jak zwykle dała dobrą radę: nie spiesz, bądź cierpliwy, Eva bystra, ma olej w głowie. Za miesiąc przywyknie, zapomni, będzie pogodna jak dawniej.

Kocham Pam.

Jest moją opoką.

(30 IX)

Przepraszam za milczenie.

W tym tygodniu stało s. coś obłędnego.

W poniedziałek umarł Todd Grassberger (!).

Przyszli czytelnicy znają Todda? Wspomniałem o nim? Chyba nie. Nikt bliski. Tylko kolega z pracy. Todd i ja mieliśmy swój ulubiony żart o tym że nie oddałem mu kabla który pożyczyłem. Kabel właściwie był firmowy, nie jego. Todd to wiedział, a ja wiedziałem że on wie. Tak tylko sobie żartowaliśmy.

Dzień zaczął s. dobrze. Piękne babie lato. Rano próbny alarm pożarowy. Wszyscy z gmachu na dziedziniec pod gołym niebem. Pogoda taka piękna że nikomu nie wadziło. Wszyscy wylegiwali s. na wałach, doradzając ostrożność. Zabawnie widzieć ludzi z różnych firm. Jak z rozmaitych plemion. NabroMax = palanci, obliczają temperaturę potrzebną do zniszczenia ogniem całego gmachu. Oorjd = firma designerska. Zatrudnia sporo hipisów i najładniejsze dziewczyny. Wielu z Oorjdu wylegiwało s. wznak na wałach patrząc w chmury. 1 grał na bambusowym fleciku.

Kiedy alarm odwołano wszyscy jęknęli i ze smutkiem poczłapali do gmachu.

A o 2giej po biurze gruchnęła nowina: umarł Todd. Dopiero co dostał zawału w pralni (!) w porze lunchu.

Całe popołudnie nikt nie pracował. Wszyscy dreptali w kółko ogłuszeni nowiną usiłując oswoić myśl że Todd = trup. Pod jego biurkiem buty turystyczne. Pod ścianą kij z którym w porze lunchu chodził po lesie.

Koło trzeciej dziwne słońce przez deszcz.

Linda Hertney: To jak ostateczne pożegnanie od Todda. (Linda = świr. Raz twierdziła że wrona na gzymsie to reinkarnacja jej zmarłego męża. Rzekomo poznała po tym jak ptak karcąco przechylił głowę kiedy jadła obfity lunch).

Burza minęła i parking zalśnił.

Cały wieczór co chwila patrzyłem świeżym okiem na Pam, na dzieci. Wszystko nagle cenne. Przed kolacją zmówiliśmy modlitwę. Zwykle jemy kolację bez modlitwy. Ale tym razem wzięliśmy s. za ręce i pomodlili: obyśmy byli wdzięczni za swoją pomyślność i za siebie nawzajem. Obyśmy pamiętali że różne wzloty/upadki które spotkają naszą rodzinę = drobne wyboje w porównaniu z tym.

Pomodliliśmy s. za Todda, za jego krewnych.

Raptem parę wieczorów temu Todd u siebie w domu robił to co zwykle wieczorem: wyjmował drobne z kieszeni, śmiał s. z dziećmi, głaskał psa, myślał o przyszłości, wrzucał brudne ubranie do kosza.

Gdzie Todd dziś wieczór (?!).

(1 X)

Dziś w ukraińskiej cerkwi w śródmieściu pogrzeb Todda Grassbergera.

Todd widać ze skromnej rodziny.

Kapłan długowłosy w sutannie. Śpiewa/recytuje całą ceremonię po ukraińsku z pamięci. Gdy tak recytuje/kroczy, sznur od habitu s. kołysze. Przerażający facet. Przejmujący. Kazanie: czemu to niespodzianka? Myśleliście że będziecie żyć wiecznie? 1 różnica między wami, jak tu siedzicie, czekając reszty dnia, a Toddem w trumnie, zmierzającym do wiecznego domu w ziemi? Bicie serca. Czujecie je, ludzie? W swoich piersiach? Oto cienka granica między wami a grobem. Czemu więc żyjecie jakbyście byli wieczni? To głupota, a wy głupi. Przeraża was? To nic strasznego, tylko prawda, rzeczywistość!

Krzyki: Zbudzimy s.? Zbudzimy?

Wszyscy wytrzeszczają oczy na kapłana. Prócz stałych wiernych którzy chyba już to wszystko nieraz słyszeli.

Kapłan dalej: Kto z was umrze dziś w nocy? Myślimy że to żart? Znaczy żeśmy głąby. Każdy może umrzeć dziś w nocy, umrzeć choćby zaraz, nagle s. zatchnie, przechyli w klęczniku i w mgnieniu oka znajdzie s. z Toddem w ziemi.

Wtem z kuchni na dole zapach wołowej pieczeni. Wesoła paplanina parafianek z kuchni. Zapach pieczystego + szczęk garnków i rozstawianych talerzy = pokusa.

Ludzie wiercą s. w ławkach bo pieczyste niesamowicie pachnie.

Dwaj bracia Todda podchodzą do mównicy złożyć hołd.

Starszy brat: Todd uroczy, zabawny, potężna siła w życiu brata. Brat nigdy nie zapomni jakim cudem był Todd. Młodszy: Tak, Todd siłacz, Todd byk. Mimo że bywał zbyt stanowczy, na dłuższą metę oddał młodszemu bratu wielką przysługę ucząc go obstawać przy swoim. Tak nim pomiatał przez całe dzieciństwo że teraz nic młodszemu niestraszne, żaden obcy brutal nie umywa s. do Todda. Ale Todd wspaniały, najlepszy. Mądry, przystojny, nic dziwnego że mama + tata zawsze traktowali młodszego jak spóźniony pomysł. Ale Todd taki troskliwy i spostrzegawczy że to rozumiał więc czasem pocieszał młodszego że jest w porządku na swój sposób ale często zaraz potem łamał braterski pakt biorąc auto taty chociaż była środa a przecież umówili s. że w każdą środę wieczór młodszemu wolno je pożyczyć, przez co młodszy nie mógł s. spotkać z dziewczyną która mu s. b. podobała, z największą może w życiu miłością i w końcu odbił mu ją 1 głąb z Selden bo jemu widać starszy brat chętniej niż Todd swojemu młodszemu dawał szansę s. przejechać.

Młodszy brat Todda milknie przy mównicy, zdyszany. Ale widać nie może s. powstrzymać.

Wali dalej.

Ale Todd super, taki wspaniały gość, jasne że będzie go brakowało. Dał całej rodzinie ważną lekcję: można być silnym, wojowniczym, ambitnym, lekceważyć cudze potrzeby i to wcale nie znaczy że ktoś taki nie jest najwspanialszym, najniesamowitszym z braci który czasem jakby wbrew sobie nagle o dziwo okazuje rozsądek i troskę.

Młodszego brata, chyba zbulwersowanego własnym hołdem, odprowadza od mównicy starszy brat, marszcząc brwi i coś sycząc półgłosem.

Do mównicy podchodzi wdowa. Nic nie może wykrztusić. 3 dziewczyneczki czepiają s. jej spódnicy. Wdowa podaje mikrofon najmniejszej.

Najmniejsza: Pa, tatusiu.

Lunch smaczny. Przepyszny. Pogrzeb taki smutny że lunch = niebo. Zjadam z papierowego talerza 1 ciągiem 3 kanapki z pieczenią wołową. Na dworze wiatr kołysze żółtym drzewem. Przez otwarte okno sutereny wpada żółty liść. Patrzę jak sunie zygzakiem i w końcu ląduje przy moim bucie.

Myślę: Życie piękne.

B. rad że nie umarłem.

Jeżeli/kiedy umrę, nie chcę żeby Pam była sama. Niech znów wyjdzie za mąż i żyje pełnią. Byle tylko nowy mąż = porządny gość. Łagodny. Pobożny. B. troskliwy + dobry dla dzieci. Ale one nie dadzą s. wykiwać. Wolą martwego tatę (tzn. mnie) niż pobożnego gościa. Bladego nudnego pobożnisia bez ikry który nosi dziwaczne swetry i zawsze trochę smutny bo z powodu przypadłości fizycznej mu nie staje.

Ha, ha.

Dziś wieczór b. dużo myślę o śmierci, przyszły czytelniku. Czy to możliwe? Że umrę? Pam i dzieci też? Straszne. Po co nas tu umieszczono, tak b.

gotowych kochać, skoro koniec naszej podróży = śmierć? Okrutne. Srogie. Nie w smak.

Zadanie: Postarać s. być pod każdym względem lepszy człowiek.

W domu skrzyknąłem dzieci. Poprosiłem żeby podjęły ze mną nowe postanowienie. Powiedziałem im: życie krótkie więc trzeba żyć jakby liczyła s. każda chwila a każdy dzień był ostatni. Jeżeli mają jakieś marzenie muszą je spełnić. Jeżeli pragną spróbować coś zrobić, niech zrobią. Obiecują? Moim największym życiowym błędem była zbytnia bierność. Nie chcę żeby go powtórzyły. Muszą być odważne, wytrwałe, dzielne. Co najgorsze może je za to spotkać? Zasłyną jako nowatorzy, bohaterowie, prorocy (!). Czy Paul Revere był nieśmiały, Edison ostrożny, a Jezus uprzedzająco grzeczny? U kresu życia będzie im żal nie własnych czynów tylko zaniechań.

A potem spać. Nieraz o tej porze wyboiście: Pam zmęczona długim dniem z dziećmi czasem szorstko s. do nich odzywa przy najlżejszym oporze. Dzieci zmęczone szkołą czasem pyskują Pam ledwie poczują jej szorstkość. Nieraz dobranocka = dzieci z góry schodów wrzeszczą w dół a Pam u dołu wrzeszczy w górę. Czasem przeleci jej obok głowy rzucona z piętra książka albo but.

Ale dziś dobranocka łatwa. Dzieci poczuły prawdę moich słów o śmierci więc cicho idą gęsiego na górę.

Thomas zbiega z powrotem mnie uściskać, Eva z podestu rzuca mi przeciągłe spojrzenie (z podziwem?).

Kochane dziatki.

1 z uroków rodzicielstwa, przyszły czytelniku: rodzice mogą pozytywnie wpływać na dziecko, stworzyć chwilę którą ono zapamięta na całe życie, która zmieni jego trajektorię, otworzy serce + umysł.

(2 X)

Kurwa.

Ja pierdolę.

W rodzinę dosłownie piorun strzelił, przyszły czytelniku.

Wyjaśnię.

Rano Thomas i Lilly siedzą zaspani przy stole, Eva jeszcze w łóżku, Pam robi jajka, Ferber u jej stóp liczy że spadnie kąsek. Thomas ospale podchodzi do okna gryząc precel.

Thomas: O rany. Co jest grane? Chodź zobacz, tato.

Idę do okna.

DSek nie ma.

Ani śladu (!).

Wybiegam. Stelaż pusty. Mikrolinki nie ma. Brama otwarta. Dość gorączkowo biegnę ulicą sprawdzić czy ich nie widać.

Nie.

Biegiem do domu. Dzwonię do Greenwaya i na policję. Gliny przyjeżdżają, przeczesują podwórko.

1 pokazuje mi w błocie przy bramie ślad włóczonej mikrolinki. Mówi że to dobrze: skoro mikrolinka nie wyciągnięta, nie pozwala DSkom rozwinąć szybkości więc łatwiej będzie je namierzyć bo kiedy uciekają wszystkie razem połączone mikrolinką przez głowy muszą stawiać dziecięce kroczki żeby żadna nie odskoczyła w tył ani w przód bo jeszcze by targnęła za mikrolinkę i nadszarpnęła koleżance mózg.

Drugi glina mówi owszem, tak by było gdyby szły pieszo. Ale weź no pomyśl, mówi, przecież nie idą pieszo tylko wiozą je furgonetką jacyś aktywiści a one pękają ze śmiechu.

Ja: Aktywiści.

Pierwszy glina: No, wie pan: Kobiety Kobietom, Obywatele za Równością Ekonomiczną, Semplica Do Piekła.

Drugi glina: Czwarty przypadek w tym miesiącu.

Pierwszy glina: Same nie zeszły ze stelażu.

Ja: Niby dlaczego miały zejść? Przecież dobrowolnie s. zgłosiły. Po co by odeszły z jakimiś zupełnie…

Gliny w śmiech.

Pierwszy: Zapachniało im amerykańskie marzenie, ziom.

Dzieci gorzej niż przerażone. Kulą s. przy płocie.

Szkolny autobus przyjeżdża i odjeżdża.

Zjawia s. terenowy przedstawiciel Greenwaya (Rob). Wysoki, chudy, pochylony. Byłby podobny do indiańskiego łuku gdyby taki łuk mógł mieć kolczyk w uchu + długie włosy jak u pirata a na sobie krótką skórzaną kamizelkę.

Rob natychmiast detonuje bombę: Przykro mu że w tej ciężkiej chwili musi nam jeszcze dopierdolić ale z mocy prawa ma obowiązek nas powiadomić że jeżeli DSki nie znajdą s. w ciągu 3 tygodni to w świetle naszej umowy z Greenwayem spocznie na nas zadanie zwrotu całej sumy Wartości Odtworzeniowej.

Pam: Zaraz, że co?

Wg Roba Wartość Odtworzeniowa = $100/miesiąc od osoby x suma miesięcy nadal przewidzianych kontraktem DSek z Greenwayem w chwili zaginięcia (!). Betty (pozostało 21 miesięcy) = $2100; Tami (13 miesięcy) = $1300; Gwen (18 miesięcy) = $1800; Lisa (34 miesiące (!)) = $3400.

Razem = $2100 + $1300 + $1800 + $3400 = $8600.

Pam: Krucafiut.

Rob: Zapewniam was, wiem że to kupa kasy, sam żyję głównie z pisania piosenek, no tak? Ale z naszego punktu, a raczej, wiecie, z ich punktu widzenia, znaczy Greenwaya, to wygląda tak, że myśmy – czyli oni – coś niecoś z góry zainwestowali no i oczywiście musiała to być spora sumka, bo weźmy choćby koszt wiz, przelotów i całej reszty?

Pam: Nikt nic nam o tym nie mówił.

Ja: Ani słowa.

Rob: Ha. Kto obsługiwał wasze zamówienie?

Ja: Melanie?

Rob: No właśnie, tak też czułem. Ona czasem załatwiała po łebkach, byle dopiąć sprawę. Zwłaszcza z klientami z pakietu A którzy od początku sknerzyli. Bez obrazy. W każdym razie właśnie dlatego już jej nie ma. Chcecie na nią nawrzeszczeć, idźcie do supermarketu, jest tam teraz zastępczynią kierowniczki stoiska z farbami i pewnie kłamie jak najęta, który kolor jest który.

Wściekamy s. bo pogwałcono nasze prawa: ktoś ciemną nocą wlazł nam na podwórko, kiedy dzieci spały tuż-tuż, i ukradł? Ukradł nam? Ukradł $8600 + wstępny koszt DSek (koło $7400)?

Pam: (do gliny) Jak często je znajdujecie?

Pierwszy glina: Kogo?

Pam wściekle s. w niego wgapia. (Kiedy broni rodziny jest jak lwica).

Drugi glina: Szczerze? Przyznam że rzadko.

Pierwszy glina: Raczej nigdy.

Drugi glina: No, nigdy dotąd.

Pierwszy glina: Słusznie. Zawsze może s. zdarzyć cud.

Odjeżdżają.

Pam (do Roba): A jak nie zapłacimy?

Ja: Nie mamy z czego.

Rob skrępowany, zarumieniony.

Rob: No, tym raczej powinien s. zająć dział prawny.

Pam: Pozwalibyście nas do sądu?

Rob: Ja nie. Ale oni tak. Przecież zawsze tak robią. Wezmą i... jak się to nazywa? Zajdą wasze...

Pam (szorstko): Zajmą.

Rob: Przepraszam. Przepraszam za wszystko. Melanie, o rany, złapię cię za ten głupi warkocz i łeb urwę. Tak tylko żartuję. Nigdy z nią nie gadam. Ale chodzi o to że te wszystkie warunki są w umowie. Czytaliście umowę, prawda?

Cisza.

Ja: No, trochę nam s. spieszyło. Urządzaliśmy imprezę.

Rob: Jasne, pamiętam ją. To dopiero była impreza. Wszyscy o niej mówiliśmy.

Rob odjeżdża.

Pam sina.

Pam: Wiesz co? Niech s. walą. Jak chcą, to mogą nas pozwać. Nie mam zamiaru płacić. Obrzydliwa sytuacja. Niech sobie wezmą ten głupi dom.

Lilly: Zostaniemy bez domu?

Ja: Nie zostaniemy bez...

Pam: Nie? A jak myślisz, co się dzieje, kiedy ktoś wisi 9 patyków i nie może zapłacić? Moim zdaniem stracimy dom.

Ja: Słuchaj, uspokójmy s., nie ma powodu do...

Eva wydyma dolną wargę jakby miała płakać. Myślę: o, super, wzór cnót rodzicielskich, kłótnia + przekleństwa + widmo straty domu przy spiętym dziecku, już i tak przytłoczonym niepokojącymi wydarzeniami dnia.

Wtem Eva wybucha płaczem i mamrocze przepraszam, przepraszam, przepraszam.

Pam: Och, skarbie, tak mi s. tylko głupio wypsnęło, wcale nie stracimy domu. Mamusia i tatuś nigdy by nie pozwolili…

Coś mi świta.

Ja: Eva. Powiedz że to nie ty.

Spojrzenie Evy mówi: To ja.

Pam: Co ty?

Thomas: To Eva?

Lilly: Ale jakim cudem? Ma tylko 8 lat. Nie umiałabym nawet…

Eva prowadzi nas na podwórko i pokazuje, jak zrobiła: Wyciągnęła drabinę, weszła na nią przy 1 końcu mikrolinki i poluzowała lewą poręczną dźwignię, aż mikrolinka zwisła. Wtedy Eva przeciągnęła drabinę do drugiego końca i poluzowała prawą poręczną dźwignię. Mikrolinka całkiem sflaczała więc DSki stanęły na ziemi.

Krótko s. naradziły.

I poszły.

Wściekam. Eva strasznie narozrabiała. Napytała biedy nie tylko nam ale i DSkom. Gdzie one teraz? W dobrym miejscu? Czy to dobrze kiedy nielegalne uciekinierki w obcym kraju bez pieniędzy, jedzenia ani wody muszą kryć s. po lasach, na bagnach itd.

złączone mikrolinką jak więźniowie przy robotach drogowych? A Thomasowi i Lilly s. wydaje że to świetny żart wyciąć taki numer własnym rodzicom? Pamiętam jak Thomas podszedł do okna i niby to zdziwił s. na widok 0 DSek. Parszywy gówniarz. A Lilly? Tyle zrobiliśmy na cześć jej urodzin a ona tak s. odwdzięcza?

Dostaję piany i mimo woli mówię to wszystko na głos.

Dzieci oniemiały. Pierwsze widzą żebym tak s. wściekł.

Thomas: Tatusiu, myśmy nic nie wiedzieli!

Lilly: Słowo daję że nie!

Thomas wybiega przed dom, rwąc włosy z głowy. Lilly wybucha płaczem i wymaszerowuje z pokoju, ciągnąc Evę (oniemiałą) za rękę.

Eva (załamana, do mnie): Ale sam mówiłeś, sam powiedziałeś że trzeba być odważnym...

Uwaga do przyszłych pokoleń: w naszych czasach rodzina nieraz s. zapędzi w czarną dziurę. Czuje wtedy: nieudacznicy z nas, nic nam nie wychodzi. Rodzice kłócą s. na pełen regulator zwalając na siebie winę za katastrofę. Tata kopie nogą w ścianę i wybija w niej dziurę koło lodówki, rodzina nie je obiadu. Za duże napięcie żeby siąść razem do stołu. Nieznośna sytuacja. Aż człowiek (ojciec) wątpi w sens całego przedsięwzięcia tzn. zastanawia(m) s., czy ludziom nie byłoby lepiej mieszkać samemu w pojedynkę w lesie pilnując swego nosa i nikogo nie kochając.

Dziś mamy taki dzień.

Pognałem do garażu. Głupia plama z wiewiórki/myszy po tylu tygodniach wciąż widoczna. Postanowiłem raz na zawsze z nią skończyć. Usunąłem bielidłem + szlauchem. Uspokojony, siadłem na taczkach i śmiech pusty mnie ogarnął. Wygrałem w zdrapkę, trafiło mi s. jak nigdy w życiu ale ten najszczęśliwszy w życiu traf szybko zamieniłem w życiowe fiasko.

Wyśmiałem s. a potem rozpłakałem.

Strasznie miałem sobie za złe te szorstkie słowa do dzieci.

Weszła Pam i spytała czy płakałem. Nie, skłamałem, tylko kurz w oczach przy sprzątaniu garażu. Pam nie dała s. nabrać. Lekko mnie objęła z boku + trąciła biodrem że niby: Płakałeś, to nic złego, ciężkie czasy, wiem.

Pam: Chodź do domu. Wyprostujmy sprawę. Jakoś to przeżyjemy. Dzieci tak podle s. czują jakby miały zaraz skonać.

Wszedłem do domu.

Dzieci przy stole w kuchni.

Poznałem po oczach że chcą jak najprędzej przebaczyć i uzyskać przebaczenie. Lilly i Thomas nic nie wiedzieli. Mówię im że wiem że nie wiedzieli i nie rozumiem czemu powiedziałem że chyba wiedzieli.

Rozwarłem ramiona, Thomas i Lilly czym prędzej podbiegli.

Eva nie wstała z krzesła.

Gdy była malutka miała burzę kruczych kędziorków. Właziła na kanapę jedząc z kubka do kawy owsiankę i tańczyła przy dźwiękach z własnej głowy machając sznurem od story.

A teraz: siedzi z głową w dłoniach jak załamana staruszka opłakująca utratę świeżego kwiatu młodości itd., itp.

Podszedłem i wziąłem ją na ręce.

Biedactwo drży mi w ramionach.

Eva (szeptem): Nie wiedziałam że stracimy dom.

Ja: Wcale nie... Nie stracimy domu. Mamusia i ja coś wymyślimy.

Wysłałem dzieci oglądać TV.

Pam: No to jak? Mam zadzwonić do taty?

Nie chciałem żeby Pam dzwoniła do swojego taty. Na imię mu Johnny. Mówi o sobie „Farmer Dziany". Dowcip polega że jest bogaty farmer. „Farmer Dziany" = b. dziany + b. wymagający. Co do mnie, to mnie nie lubi. Nieraz mawiał że 1) jestem nie dość pracowity i 2) powinienem uważać z nadwagą i 3) uważać z kartami kredytowymi.

Farmer Dziany ma s. świetnie bez żadnych kart kredytowych.

Farmer Dziany nie lubi DSek. W zeszłą Gwiazdkę palnął wszystkim długi wykład: wg niego trzymać

DSki to „pic na pokaz". Wg niego każda przyjemność to „pic na pokaz". Nawet pójście do kina = „pic na pokaz". Korzystać z myjni zamiast samemu umyć wóz przed domem też = „pic na pokaz". Raz na wizycie u nas przyjrzał mi się podejrzliwie bo powiedziałem że czeka mnie leczenie kanałowe. No co, pomyślałem: leczenie kanałowe też „pic na pokaz"? Ale nie: tylko nie podobał mu s. dentysta którego wybrałem bo widział w TV jego reklamę tzn. jeszcze 1 „pic na pokaz".

I dlatego nie chciałem żeby Pam dzwoniła do Farmera Dzianego.

Mówię jej że musimy stanąć na głowie i dać sobie radę sami.

Wyjęliśmy rachunki i zrobili próbną kalkulację: Jeżeli zapłacimy ratę hipoteczną, ogrzewanie, American Express + $200 zaległych należności z zeszłego miesiąca, zejdziemy prawie do 0 (zostanie nam $12,78). Jeżeli odwleczemy AmEx + Visę, zwolni nam s. do $880. Gdybyśmy jeszcze wstrzymali zapłatę hipoteki, rachunku za gaz i ubezpieczenia na życie, i tak wygospodarowalibyśmy tylko marne $3100.

Ja: Kurwa.

Pam: Może jednak poślę mu mejl. Rozumiesz. Zobaczymy co odpowie.

Pam na górze mejluje do Farmera Dzianego, a ja tu piszę w notesie.

(6 X)
Pominę to co w pracy. Mniejsza teraz o pracę. Kiedy wróciłem do domu Pam stała w drzwiach z mejlem od Farmera Dzianego.

Farmer Dziany = skurwiel.

Przytoczę fragment:

„Pomówmy o tym, co zamierzacie zrobić z pieniędzmi, o które prosicie. Odłożycie je na studia dla dzieci? Nie. Zainwestujecie w nieruchomość? Też nie. Trafiła wam się okazja żeby posiać cenne nasiona ($$), aleście je przeputali. I na co? Na dekorację, która pewnym ludziom się podoba. Otóż mnie ona się nie podoba. Widzę, że tutejsi młodzi też ją sobie fundują. A nawet starzy. Ani u jednych, ani u drugich nie ma ona żadnego sensu. Odkąd to ludzie wywieszeni na pokaz są miłym widokiem? W naszym kościele niektórzy samozwańczy dobroczyńcy powołują się na tamtejsze ubóstwo. Dobra, w porządku. Ale wygląda na to, że sami niedługo zaznacie ubóstwa pod własnym dachem. „Lekarzu, lecz się sam". Często przypomina mi się ta maksyma, kiedy mnie kusi, żeby wspomóc tę czy inną kwestię społeczną. Aczkolwiek jestem nie od tego, żeby jakiejś maltretowanej kobiecie podrzucić do domu szynkę. Więc powiem: nie. Sami w to zabrnęliście i musicie się wykaraskać o własnych siłach, dając dzieciom (i sobie) cenną lekcję, która na dłuższą metę przyniesie pożytek całej waszej rodzinie".

Ja: Aj.

Pam zadzwoniła do Farmera Dzianego i nuż go błagać. Zbeształ ją przez telefon odnośnie do pieniędzy, całej naszej finansowej przeszłości i w ogóle naszego stosunku do życia (że niby marnotrawczy). Powiedział żeby go więcej nie prosić. Wiele straciliśmy w jego oczach przez ten bałwański ruch + potem rozpaczliwy pokaz pychy, który w naszym oślim przekonaniu miał naprawić skutki bałwańskiego ruchu.

I to by było na tyle.

Długie milczenie.

Pam: Jezu. Cali my, prawda?

Nie wiem co ma na myśli. Tzn. wiem ale s. nie zgadzam. Tzn. zgadzam s. ale mogłaby tak nie mówić. Po co tak mówi? Mówienie jest negatywne, psuje samopoczucie.

Pytam: A jakby tak po prostu przyznać co Eva zrobiła to może Greenway s. zlituje?

Pam mówi nie, nie: sprawdziła dziś w internecie: uwolnienie DSek = ciężkie przestępstwo (!). 8latki nikt raczej nie będzie włóczył po sądach, ale tak czy owak. Jeżeli przyznamy, wpiszą to Evie do akt? Będzie musiała przejść terapię? I to też wpiszą do akt? Eva poczuje: złe ze mnie dziecko? Zacznie skłaniać ku złu, zadawać s. z rozrabiakami, krzywo patrzeć na wszelkie dążenie, nie osiągnie tego co by mogła, a wszystko przez 1 błąd z dzieciństwa?

Nie.

Nie wolno ryzykować.

Pam i ja dyskutujemy i zgodnie stwierdzamy: musimy być jak zjadacze grzechów którzy niegdyś zjadali grzechy. A może ciała grzeszników? Jedli strawę położoną na ciele zmarłego grzesznika? Nie b. pamiętam co właściwie robili. Ale Pam i ja zgodnie postanawiamy naśladować zjadaczy grzechów tzn. aż do przesady chronić Evę, za wszelką cenę wywieść policję w pole a w razie potrzeby łamać prawo.

Pam pyta czy wciąż piszę w tej książce. Czy książka nie = dokument prawny? Napisałem w niej o Evie i jej roli? Czy książka nie = dowód naszego matactwa? Czy sąd nie każe udostępnić książki? Może powinienem przestać w niej pisać, wymazać wątpliwe stronice? Ukryć książkę? Wrzucić do dziury, którą niedawno wybiłem nogą w ścianie? A jeszcze lepiej całkiem zniszczyć?

Mówię Pam że uwielbiam pisać w książce, nie chcę przestać ani książki zniszczyć.

Pam: Jak uważasz. Wg mnie nie opłaci się skórka za wyprawkę.

Pam mądra. Doskonale ocenia różne sytuacje. Zastanawiam s. nad tym wszystkim. (Jeżeli książka umilknie, przyszły czytelnik będzie wiedział że (znowu!) przyznałem Pam słuszność).

Zgaduję i mam nadzieję: gliny prowadzą wiele podobnych spraw, a my płotki, nasza sprawa błaha, wszystko wkrótce samo minie.

(8 X)

Błąd. Znowu błąd. Wcale nie mija.

Wyjaśnię.

Cały dzień pracowałem.

Normalny nudny dzień.

Czy przyszły czytelnik wyobraża sobie co to była za tortura brnąć przez normalny nudny dzień kiedy chciałem tylko gnać do domu i zastanowić s. wspólnie z Pam nad sprawą Evy, zgarnąć Evę ze szkoły i mocno uściskać, powiedzieć że wszystko s. ułoży, zapewnić że chociaż nie pochwalamy co zrobiła, zawsze będzie naszą córeczką, źrenicą oka(czu)?

Ale w tym życiu tata musi robić co do taty należy.

Wytrwałem cały dzień.

Potem jak zwykle jazda do domu: strefa sprzedaży używanych aut, strefa kamieniołomu, kawał autostradą przez blokowisko z praniem na sznurach, w miarę wiejski odcinek z cmentarzem pionierów, dawna galeria handlowa, co odwaliła kitę.

I wreszcie nasz domek + smutne puste podwórko.

Przy tylnej bramie stał jakiś facet.

Podszedłem i zagadałem.

Facet = Jerry. Detektyw (!) przydzielony do naszej sprawy. Powiedział że aktywiści = absolutny priorytet dla władz miejskich a burmistrz postanowił dać mocny sygnał (!). I wie że finansowo jesteśmy na straconej pozycji a ci kanciarze z Greenwayu wg niego powinni s. smażyć w smole. Sam jest niezamożny powiada, a przy tym rodzinny i wie, jak by s. martwił gdyby wisiał wielkiej anonimowej korporacji $8600. Ale spokojna głowa, już on dopilnuje. Nie spocznie dopóki nie wytropi aktywistów. Ma ich w niskim poważaniu. Myślą że robią coś szlachetne? Akurat. DSki przedzierzgnięte w nielegalne imigrantki odbierają robotę „prawilnym Amerykanom". Jerry b. przeciw. Jego ojciec przypłynął z Irlandii statkiem wymiotując przez cały rejs a potem wypełnił stosowny formularz. Wg Jerry'ego to jedyna droga.

Ha, ha, mówi.

Uśmiecha s., ociera usta.

Jerry gaduła. Zanim s. przekwalifikował na glinę był nauczyciel. B. rad że już nie uczy. Ucznie rozbisurmanieni. Co rok gorzej. Przez kilka ostatnich lat tylko czekał aż któryś go dźgnie albo postrzeli. Tym było ciężej im robili s. czarniawsi. Chyba wiem co ma na myśli. Generalnie nic przeciw czarniawym tylko przeciw tym co nie chcą pracować ani poznać język i koniecznie chcą płatać nauczycielom wredne psoty. Jemu w dzieciństwie nie przyszłoby na myśl wrzucić małą żabkę do dietetycznej coli 1mu z najbardziej oddanych nauczycieli. Prawie na pewno sprawka czarniawego dziecka bo prawie wszyscy ucznie czarniawi. Nigdy nie oberwał nożem ale prędzej czy później na pewno jakiś czarniawy uczeń by go dźgnął. Kto śmie wrzucić nauczycielowi do napoju żabę ten ma 0 hamulców tzn. dźgnięcie nożem = logiczny cd.

To tylko dzieci, mówię.

I tak, i nie, Jerry na to. Dzieci = przyszli dorośli. Czym skorupka za młodu nasiąknie tym na starość trąci. Jerry widział raz film o nieposkromionym lwiątku: kiedy wyrosło to zjadło właściciela. Morał: dzieci krótko trzymać.

Jerry ostatnio samotny, mówi. Niedawno umarła żona. Nie przewidział że umrze 1sza. Zawsze była ta zdrowa. Teraz trochę zagubiony. Żona nawet u szczytu formy była wiotka. Pod koniec prawie jej nie było. Nigdy mu nie spieszno wracać do domu. Od śmierci żony tak tam cicho. Nie ma wnuków bo nie miał dzieci bo żona miała wątpliwe jaja.

Tzn. może poświęcić naszej sprawie mnóstwo czasu.

Coś tu nie gra, mówi. Robota nie w stylu aktywistów. Oni zwykle zostawiają wizytówkę: Semplica Do Piekła – czerwoną chorągiewkę. Kobiety Kobietom – manifest + taśmę z nagraniem DSek które wyliczają co złego/obraźliwego zrobili im gospodarze kiedy wisiały na podwórku. W ekipie aktywistów często jest lekarz który usuwa mikrolinkę zanim wsiądą do furgonetki. Ale policja znalazła przy naszej bramie ślady wleczonej mikrolinki tzn. DSki uciekły piechotą z mikrolinką w głowach?

Nie trzyma kupy.

Jerry czuje smród.

Ale spać spokojnie, zapewnia + dodaje że jest u nas „bezterminowo".

Na razie trochę posiedzi na podwórku. Czasem tak robi żeby „wleźć sprawcy prosto do głowy".

Odkasłuje flegmą i kuśtyka w głąb podwórka.

Wchodzę do domu. Powtarzam wszystko Pam.

Oboje stajemy w oknie i patrzymy na Jerry'ego.

Thomas: Kto to?

Ja: Taki 1 facet.

Pam: Nie wychodźcie. Nie rozmawiajcie z nim ani nic.

Lilly: Jest u nas na podwórku ale nie wolno nam z nim rozmawiać?

Ja: Tak. Dokładnie.

Kiedy to piszę dochodzi północ. Jerry wciąż na podwórku (!). Pali, w kółko nuci irytującą melodyjkę z 4 dźwięków. Słyszę go z wolnego pokoju + czuję dym. Chciałbym zejść i wyprosić Jerry'ego z podwórka. Powiedzieć: Jerry, to nasze podwórko. Dzieci śpią, jutro mają szkołę, jak je obudzisz tym swoim nuceniem będą w szkole senne/miały pod górkę. A zresztą nie pozwalamy palić u siebie w domu ani koło.

Ale nic z tego.

Nie mogę ani ciut narazić s. Jerry'emu.

Boże.

Ognisko domowe w upadku, przyszły czytelniku. Totalny chaos. Dzieci czują napięcie więc cały dzień s. kłócą. Po kolacji Pam przyłapała je jak oglądały *MacAnta* (zakazanego) = program o tym że facet wybiera sobie dziewczynę na randkę wg piersi które maca przez parawan z 2 dziurami. (Piersi nie widać na ekranie tylko różne miny faceta podczas macania i minę dziewczyny kiedy on ogłasza werdykt. Ale i tak: zły program). Pam wściekła na dzieci: rodzina przeżywa najtrudniejsze dni a one tak s. zachowują?

Kiedy s. urodziły, Pam i ja porzuciliśmy wszystko (młodzieńcze marzenia o podróżach, przygodach itd., itp.) żeby być dobrzy rodzice. Nieciekawe to życie. Wiele mozołu. Nie nadążaliśmy więc nieraz na nogach do późnej nocy żeby wybrnąć z zaległości, wyczerpani, zaharowani. Często niechlujne + zmęczone, z niemowlęcą kupą i/albo wymiotami na koszuli czy bluzce, 1 z nas stało ze znużonym/gniewnym uśmiechem do obiektywu w rękach 2giego, włosy zapuszczone, bo fryzjer kosztuje, niemodne okulary zsunięte z nosów bo nie było kiedy dokręcić śrubki w oprawkach.

I po tym wszystkim na co nam przyszło.

Szkoda.

Przed chwilą poszedłem korytarzem zajrzeć do dzieci. Thomas śpi z Ferberem. Zabronione. Eva w łóżku z Lilly. Też zabronione. Eva, sprawczyni całej jatki, lula jak niemowlę.

Miałem ochotę ją obudzić, powiedzieć że wszystko s. ułoży a ona ma dobre serce tylko jest mała + skołowana.

Nie obudziłem.

Eva musi wypocząć.

Na biurku Lilly plakat do szkoły na zadanie domowe „Dzień ulubionych rzeczy". Plakat = zdjęcie każdej DSki + mapa ojczystego kraju + historie które Lilly widać zapisała podczas wywiadów (!) z nimi: Gwen (Mołdawia) = b. twardzielka dzięki mołdawskiemu wychowaniu: z zakrwawionych prześcieradeł ze śmietnika oklejonych taśmą zrobiła piłkę do nogi i tak pilnie trenowała tą krwawą szmacianką że o mało jej nie wzięli do kadry olimpijskiej (!). Betty (Filipiny) ma córkę która pływa w morzu, czasem na żółwiu. Lisa (Somalia) widziała raz lwa na dachu minicięzarówki swojego wuja. Tami (Laos) miała ulubionego bawołu który nadepnął jej na stopę więc teraz Tami musi nosić specjalny but. „Zabawny szczegół": ich imiona (Betty, Tami itd.) nieprawdziwe. Greenway nadaje takie nowo przybyłym DSkom. „Tami" = Januka = „szczęśliwy promień słońca". „Betty" = Nenita = „błogosławiona-ukochana". „Gwen" = Eugenia. (Nie wie, co znaczy jej imię). „Lisa" = Ayan = „szczęśliwa podróżniczka".

DSki b. mnie dziś w nocy zaprzątają, przyszły czytelniku.

Gdzie teraz są? Czemu odeszły?

Po prostu nie rozumiem.

Przychodzi list, rodzina świętuje, dziewczyna leje łzy, po stoicku pakuje walizkę, myśli: muszę jechać, we mnie cała nadzieja rodziny. Nadrabia miną i obiecuje wrócić zaraz po wygaśnięciu kontraktu. Rodzice czują: nie możemy jej puścić. Ale puszczają. Bo muszą.

Całe miasteczko odprowadza dziewczynę do pociągu/autobusu/promu? Grupa jedzie kolorową furgonetką na maleńkie prowincjonalne lotnisko? Znowu łzy, znowu przysięgi. Gdy pociąg/prom/samolot rusza, dziewczyna rzuca ostatnie czułe spojrzenie na okoliczne wzgórza/rzekę/kamieniołom/chatki i co tam jeszcze, tzn. cały świat jaki dotąd znała, i mówi sobie: nie bój s., kiedyś tu wrócisz i to zwycięsko, z wielką torbą prezentów itd., itp.

A teraz?

Ani pieniędzy, ani papierów. Kto usunie mikrolinkę? Kto da pracę? Idąc do pracy będzie musiała ukryć pod włosami blizny po wpustach mikrolinki. Kiedy znowu zobaczy dom + rodzinę? Czemu tak postąpiła? Czemu wszystko zniszczyła, uciekła z naszego podwórka? Mogła mieć u nas miły długi pobyt. Nie mam pojęcia, czego szukała. Czego aż tak pragnęła że wykonała ten desperacki numer?

Jerry przed chwilą odjechał na noc.

Na podwórku pusty stelaż dziwny w blasku księżyca.

Zadanie: zadzwonić do Greenwaya, niech zabiorą tę szkaradę.

W domu

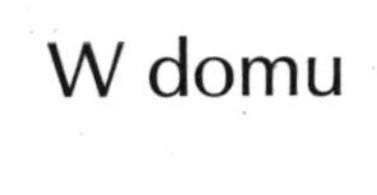

1

Wyszedłem z suchego koryta strumienia za domem i lekko zastukałem w kuchenne okno, jak za dawnych czasów.

– No właź – powiedziała mama.

Na piecu leżały stosy gazet, na schodach sterty czasopism, a z popsutego piekarnika sterczał pęk wieszaków do ubrań. Wszystko po staremu. Nowa była wilgotna plama w kształcie kociej głowy nad lodówką i to, że stary pomarańczowy chodnik do połowy zwinięto.

– Nie byłam i nie jezdem żadna trzykropiona sprzątaczka – rzekła mama.

Spojrzałem na nią trochę dziwnie.

– Trzykropiona? – spytałem.

– Weź się trzykrop – odparła. – W robocie się na mnie uwzięli.

Mama rzeczywiście miała niewyparzony język. A ostatnio pracowała w kościele, więc nic dziwnego.

Staliśmy, patrząc na siebie.

Nagle po schodach zszedł z głośnym tupotem jakiś facet: jeszcze starszy od mamy, w samych bokserkach, turystycznych butach i zimowej pelerynie, z długim kucykiem na plecach.

– Kto to? – spytał.

– Mój syn – powiedziała nieśmiało mama. – Mikey, to jezd Harris.

– Co żeś najgorszego tam zrobił? – zaciekawił się Harris.

– Gdzie się podział Alberto? – spytałem.

– Alberto się ulotnił – odparła mama.

– Alberto pokazał dupę – dodał Harris.

– Nie mam temu trzykropowi nic za złe – zastrzegła się mama.

– A ja mam piździelcowi mnóstwo za złe – rzekł Harris. – Na ten przykład wisi mnie dziesięć dolców.

– Harris nie próbuje nic zrobić ze swoim niewyparzonym językiem – powiedziała mama.

– A ona próbuje tylko dlatego, że jej zależy na pracy – wyjaśnił Harris.

– Harris nie pracuje – rzekła mama.

– Jakbym pracował, to na pewno nie gdzieś, gdzie by mi mówili, jak mam się wyrażać – odparł Harris. – Pracowałbym tylko gdzieś, gdzie mógłbym się wyrażać, jak mi się podoba. I gdzie braliby mnie takim, jaki jezdem. Tylko w takim miejscu chętnie bym pracował.

– Mało jezd takich miejsc – zauważyła mama.

– Takich, gdzie mógłbym się wyrażać, jak mi się podoba? – spytał Harris. – Czy gdzie braliby mnie takim, jaki jezdem?

– Takich, w których chętnie byś pracował – powiedziała mama.

– Jak długo on tu zostanie? – spytał Harris.

– Ile zechce – rzekła mama.

– Mój dom jezd twoim domem – zwrócił się do mnie Harris.

– To nie twój dom – powiedziała mama.

– Daj chociaż chłopakowi coś przegryźć – rzekł Harris.

– Dam mu, ale nie tyś to wymyślił – odparła mama i zaraz wygoniła nas z kuchni.

– Superbabka – oświadczył Harris. – Wpadła mi w oko nie wiem ile lat temu. A potem Alberto się urwał. Nie kumam gościa. Ma superbabkę, a jak ona zachoruje, to on się zrywa?

– Mama jest chora? – zdziwiłem się.

– Nie mówiła ci? – zdziwił się Harris.

Skrzywił się, zacisnął pięść i przytknął ją sobie do czubka głowy.

– Guz – wyjaśnił. – Ale ja ci tego nie powiedziałem.

Mama w kuchni śpiewała.

– Mam nadzieję, że chociaż smażysz boczek! – zawołał Harris. – Chłopak wrócił się z powrotem do domu, to mu się należy trochę pierniczonego boczku.

– Czego się wtrącasz? – powiedziała mama. – Przecie dopiero co żeś go poznał.

– Kocham go jak rodzonego syna – oświadczył Harris.

– Nie rozśmieszaj mnie – rzekła mama. – Przecież swojego rodzonego syna nienawidzisz.

– Nienawidzę obu swoich rodzonych synów – sprostował Harris.

– Córki też byś nienawidził, jakbyś ją wreście kiedy poznał – dodała mama.

Harris rozpromienił się, zapewne wzruszony odkryciem, jak doskonale mama go zna, skoro wie, że nieuchronnie znienawidziłby każde swoje potomstwo.

Weszła mama, niosąc talerz z jajkami na boczku.

– Mógł mi wpaść do nich włos – powiedziała. – Ostatnio normalnie, trzykropek, linieję.

– Częstuj się, proszę – rzekł Harris.

– Palcem żeś, trzykropek, nie kiwnął! – zawołała mama. – Nie podszywaj się. Lepiej idź pozmywaj. To by była chociaż jakaś pomoc.

– Przecie wiesz, że nie mogę zmywać – odparł Harris. – Dlatego bo mam wysypkę.

– Od wody dostaje wysypki – powiedziała mama. – Spytaj go się, czemu nie może wycierać.

– Dlatego bo mi krzyż nawala – wyjaśnił Harris.

– Ciągle się chwali, czego to by nie mógł – rzekła mama. – A do roboty niezdatny.

– Jak tylko on wyjedzie, zara ci pokażę, do czegom zdatny – obiecał Harris.

– Oj, Harris, przegiąłeś, wstręciuchu – powiedziała mama.

Harris podniósł ręce nad głową, że niby „zwycięzca i znowuż miszcz".

– Pościelimy ci w twoim starym pokoju – oświadczyła mama.

2

Na moim łóżku leżał łuk myśliwski i fioletowa peleryna z maską upiora, taka dla zaduszkowych przebierańców.

– To trzykropek Harrisa – wyjaśniła mama.

– Mamo – powiedziałem. – Harris się wygadał.

Zacisnąłem pięść i przytknąłem ją sobie do czubka głowy.

Rzuciła mi spojrzenie bez wyrazu.

– A może źle go zrozumiałem? Guz? Powiedział, że masz wielkiego g…

– A może to z niego jezd wielki trzykropiony kłamczuch – odparła. – Co i rusz wymyśla o mnie jakieś zwariowane trzykropy. To chiba jego hobby. Naopowiadał listonoszowi, że mam sztuczną nogę. Wcisnął kit Eileen ze spożywczaka, że mam szklane oko. A facetowi z wielobranżowego wmówił, że dostaję napadów omdlenia i toczę pianę z ust, jak tylko się wściekne. I tera ten facet nie daje mi tam zostać dłużej niż chwilę.

Na dowód, że nic jej nie jest, mama podskoczyła jak pajacyk.

Tymczasem Harris zasuwał po schodach na górę.

– Nie przyznam mu się, żeś mi powiedział o guzie – obiecała mama. – A ty mu się nie przyznaj, żem ci powiedziała, jak on kłamie.

Pomału wracał dawny klimat.

– Mamo – zacząłem. – Gdzie mieszkają Renee i Ryan?

– Yyy – stęknęła mama.

– Mają superchatę kawałek drogi stąd – powiedział Harris. – Tarzają się w forsie.

– Nie wiem, czy to najlepszy pomysł – rzekła mama.

– Podług twojej mamy Ryan to damski bokser – wyjaśnił Harris.

– Bo on jezd damski bokser – powiedziała mama. – Damskiego boksera wyczuję na kilometr.

– On bije? – zdziwiłem się. – Bije Renee?

– Ja żem ci tego nie powiedziała – zastrzegła się mama.

– Niech mi tylko nie boksuje dzieciaka – powiedział Harris. – Martney, słodkości moje. Uroczy bobas.

– Chociaż co to w ogóle za trzykropione imię? – rzekła mama. – Powiedziałam Renee, co o tym myślę. Prosto w oczy.

– Chłopackie czy dziewczyńskie? – spytał Harris.

– Co ty, trzykropek, wygadujesz? – spytała mama. – Przecie żeś je widział. Trzymałeś je na rękach.

– Wygląda jak elf – stwierdził Harris.

– Elf czy elficzka? – spytała mama. – Patrz. On naprawdę nie wie.

– No, ubrane było na zielono – powiedział Harris. – Nie miałem po czym poznać.

– Weź no pomyśl – rzekła mama. – Co mu kupilim?

– Na zdrowy rozum powinnem umić odróżnić chłopaka od dziewczyny – odparł Harris. – Przecie to, kurna, mój wnuk.

– To wcale nie twój wnuk – zaprotestowała mama. – A kupilim mu łódkę.

– Łódka to także samo dobry prezent dla chłopca, jak dla dziewczynki – powiedział Harris. – Nie bądź taka konserwowana. Może się spodobać dziewczynce, tak jak chłopcu lalka. Albo stanik.

– Ale my nie kupilim lalki ani stanika – odparła mama. – Kupilim łódkę.

Zszedłem na dół i sięgnąłem po książkę telefoniczną. Renee i Ryan mieszkali na Lincoln Street. Pod dwudziestym siódmym.

3

Lincoln Street dwadzieścia siedem to był dom w lepszej części śródmieścia.

Jak go zobaczyłem, nie wierzyłem własnym oczom. A jeszcze te wieżyczki. Tylna brama była z drewna sekwoi i otwierała się gładko jak na hydraulicznych zawiasach.

Podwórko też było niesamowite.

Kucnąłem w krzakach koło osiatkowanej werandy. W domu rozmawiało parę osób: Renee, Ryan i jego rodzice, sądząc po głosach. Starsi Ryana mówili dźwięcznie i z pewnością siebie, której chyba dodały ich dawnym, mniej dźwięcznym i pewnym głosom nagle zdobyte pieniądze.

– Mówcie o Lonie Brewsterze, co tylko chcecie – powiedział ojciec Ryana. – Ale jak złapałem gumę w Feldspar, to przyjechał i mnie stamtąd zabrał.

– W ten nieprawdopodobny, kipiący skwar – dodała matka.

– I nigdy ani słowa skargi – rzekł ojciec. – Absolutnie uroczy człowiek.

– Prawie równie uroczy, jeśli mam ci wierzyć, jak Flemingowie – powiedziała matka.

– A oni są strasznie uroczy – rzekł ojciec.

– A ile czynią dobra! – powiedziała matka. – Sprowadzili tu pełen samolot malutkich dzieci.

– Rosyjskich – uściślił ojciec. – Z zajęczymi wargami.

– Zaraz po przylocie czym prędzej rozwieziono je do różnych sal operacyjnych w całym kraju – powiedziała matka. – A kto za to zapłacił?

– Flemingowie – rzekł ojciec.

– Czy ja dobrze pamiętam, że przeznaczyli też trochę pieniędzy na wyższe studia? – spytała matka. – Dla tych małych Rosjan?

– Te dzieci były kalekami w upadającym państwie i nagle urządzono je na całe życie w najwspanialszym kraju świata – powiedział ojciec. – I kto to zrobił? Jakaś korporacja? A może rząd?

– To była prywatna akcja dwojga ludzi – rzekła matka.

– Dwojga prawdziwych wizjonerów – dodał ojciec.

Zapadło długie, brzemienne podziwem milczenie.

– Chociaż nigdy bym go o to nie posądziła, skoro czasem tak szorstko się do niej zwraca – powiedziała matka.

– No, ona też nieraz bywa dla niego bardzo szorstka – zauważył ojciec.

– Czasem to on jest dla niej szorstki, a ona natychmiast odpłaca mu tym samym – uściśliła matka.

– To tak jak kura czy jajko – powiedział ojciec.

– Tylko że tu chodzi o szorstkość – powiedziała matka.

– Ale mimo wszystko trudno nie uwielbiać Flemingów – rzekł ojciec.

– Powinniśmy brać z nich przykład – stwierdziła matka. – Kiedy ostatnio uratowaliśmy rosyjskie dziecko?

– I tak nieźle się wywiązujemy – odparł ojciec. – Nie stać nas na to, żeby sprowadzić pełen samolot rosyjskich dzieci, ale na miarę swoich ograniczonych możliwości chyba wywiązujemy się niezgorzej.

– Nie możemy sprowadzić samolotem ani jednego Rosjanina – powiedziała matka. – Nawet kanadyjskie dziecko z zajęczą wargą byłoby nie na naszą kieszeń.

– Pewnie moglibyśmy tam pojechać autem i jedno przywieźć – rzekł ojciec. – Ale co dalej? Nie stać nas na zabieg ani na czesne, więc dziecko siedziałoby w Ameryce zamiast w Kanadzie i wciąż miałoby kłopot z wargą.

– Mówiliśmy wam, kochani? – spytała matka. – Otwieramy jeszcze pięć sklepów. Pięć sklepów na terenie trójmiasta. Każdy z własną fontanną.

– To super, mamo – powiedział Ryan.

– Naprawdę super – dodała Renee.

– I jeżeli tych pięć sklepów będzie miało wysokie obroty, może otworzymy kolejne trzy czy cztery i jeszcze raz rozpatrzymy kwestię rosyjskich zajęczych warg – rzekł ojciec Ryana.

– Nie przestajecie mnie zdumiewać – przyznał Ryan.

Renee wyszła z dzieckiem przed dom.

– Wychodzę z dzieckiem przed dom – oznajmiła.

4

Dziecko wyraźnie odbiło się na Renee. Roztyła się i straciła werwę. Nawet wyblakła, jakby ktoś jej przejechał po twarzy i włosach odbarwiającym promieniem.

Dziecko rzeczywiście wyglądało jak elf.

Spojrzało na przelatującego ptaka i wskazało go palcem.

– Ptak – powiedziała Renee.

Elfiątko spojrzało na ten ich obłędny basen.

– Do pływania – wyjaśniła Renee. – Ale jeszcze nie teraz. Jeszcze nie, rozumiesz?

Elfiątko spojrzało na niebo.

– Chmury – powiedziała Renee. – To z nich pada deszcz.

Dziecko sprawiało takie wrażenie, jakby żądało wzrokiem: Szybko mi objaśnij to całe zasrańswo, żebym mógł nad nim zapanować i otworzyć parę sklepów.

A potem spojrzało na mnie.

Renee o mało go nie upuściła.

– Mike, Mikey, ja pierdolę – powiedziała.

Raptem jakby coś sobie przypomniała, więc pospieszyła z powrotem do drzwi werandy.

– Rye?! – zawołała. – Rye-King? Możesz wziąć ode mnie Marta, nasze serdeńko?

Ryan wziął od niej dziecko.

– Kocham cię – powiedział tak głośno, że go usłyszałem.

– Ja ciebie bardziej – odparła Renee.

Po chwili wróciła bez dziecka.

– Mówię na niego Rye-King – powiedziała, rumieniąc się.

– Słyszałem.

– Mikey. Zrobiłeś to?

– Mogę wejść? – zapytałem.

– Nie dziś – odparła Renee. – Jutro. Nie, w czwartek. Jego rodzice wyjeżdżają w środę. Przyjdź w czwartek, to się zastanowimy.

– Nad czym? – spytałem.

– Czy możesz wejść – powiedziała Renee.

– Nie wiedziałem, że to stoi pod znakiem zapytania.

– Zrobiłeś to? – powtórzyła Renee. – Zrobiłeś?

– Ryan wygląda sympatycznie – powiedziałem.

– O Boże – westchnęła Renee. – Dosłownie najsympatyczniejszy człowiek, jakiego w życiu znałam.

– Kiedy akurat nie wali piąchą.

– Że co?

– Mama mi powiedziała.

– Co ci powiedziała? – spytała Renee. – Że Ryan mnie bije? Wali piąchą? Mama tak ci powiedziała?

– Nie mów jej, że ci się wygadałem – poprosiłem, już lekko spanikowany, tak jak dawniej.

– Mama to wariatka – stwierdziła Renee. – Normalnie obłąkana, kurde. To do niej podobne, żeby coś takiego powiedzieć. Wiesz, kto oberwie piąchą? Mama. I to ode mnie.

– Dlaczego mi nie napisałaś o mamie? – zagadnąłem.

– A co ci miałam napisać? – spytała podejrzliwie Renee.

– Jest chora?

– Tak ci powiedziała?

Zacisnąłem pięść i przytknąłem ją sobie do czubka głowy.

– Co to? – zdziwiła się Renee.

– Guz? – powiedziałem.

– Mama nie ma żadnego guza – odparła Renee. – Ma spierdolone serce. Kto ci powiedział o tym niby-guzie?

– Harris.

– O, Harris, super.

W domu rozpłakało się dziecko.

– Idź – powiedziała Renee. – Pogadamy w czwartek. Ale przedtem.

Ujęła oburącz moją twarz i obróciła mi głowę, tak że spojrzałem przez okno na Ryana, który przy kuchennym zlewie podgrzewał butelkę.

– Czy on wygląda na damskiego boksera? – spytała.

– Nie – przyznałem.

Bo rzeczywiście nie wyglądał. Ni chu, chu.

– Jezu – westchnąłem. – Czy ktoś tu w ogóle czasem mówi prawdę?

– Ja – powiedziała Renee. – I ty.

Spojrzałem na nią i przez chwilę ona miała osiem lat, a ja dziesięć i oboje siedzieliśmy schowani w psiej budzie, bo mama, tata i ciocia Toni po grzybach demolowali patio.

– Mikey – rzekła Renee. – Muszę wiedzieć. Zrobiłeś to?

Wyrwałem twarz spomiędzy jej dłoni, odwróciłem się i odszedłem.

– Idź zobacz się z własną żoną, niedojdo! – krzyknęła za mną Renee. – Idź zobacz własne dzieci.

5

Mama stała na trawniku przed domem i wymyślała jakiemuś grubasowi z niskim zawieszeniem. Harris trzymał się na drugim planie, raz po raz coś kopiąc albo uderzając, żeby pokazać, jaki bywa groźny, kiedy się wścieknie.

– To mój syn! – zawołała mama. – Służył we wojsku. Właśnie wrócił się z powrotem do domu. A pan tak nas traktuje?

– Jestem panu wdzięczny za pańską służbę – powiedział grubas.

Harris kopnął blaszany śmietnik.

– Zechciałby mu pan powiedzieć, żeby przestał? – poprosił grubas.

– On nie ma nade mną żadnej władzy, kiedy się wściekam – odparł Harris. – Ani on, ani nikt.

– Myśli pan, że mi przyjemnie? – spytał grubas. – Ona od czterech miesięcy nie płaci czynszu.

– Od trzech – sprostowała mama.

– Tak pan traktuje rodzinę bohatera? – spytał Harris. – On tam walczy, a pan tu poniewiera jego matką?

– Wybaczy pan, przyjacielu, ale ja nikim nie poniewieram – odparł grubas. – Tylko eksmituję. Gdyby zapłaciła czynsz, a ja bym ją eksmitował, to by było poniewieranie.

– I jeszcze pracuję w jakimś trzykropionym kościele! – krzyknęła mama.

Grubas mimo tuszy i niskiego zawieszenia był śmiały nad podziw. Wszedł do domu i wyniósł telewizor. Miał znudzoną minę, jakby wynosił własny odbiornik, bo uznał, że lepiej mu będzie na podwórku.

– Nie – zaprotestowałem.

– Jestem panu wdzięczny za służbę – powiedział grubas.

Chwyciłem go za koszulę. Miałem już wprawę w chwytaniu ludzi za koszule, patrzeniu im prosto w oczy i wygarnianiu prawdy.

– Czyj to dom? – spytałem.

– Mój – odparł grubas.

Podstawiłem mu nogę i pchnąłem go na trawę.

– Nie przeginaj – powiedział Harris.

– Sam się przegiął – odparłem, po czym zaniosłem telewizor z powrotem do domu.

6

Wieczorem przyjechał szeryf z ekipą od przeprowadzek, która wyniosła wszystko z domu na trawnik. Widziałem, jak nadjeżdżali, więc wyszedłem tylnymi drzwiami i obserwowałem całą akcję z ambony myśliwskiej za domem Nestonów na High Street.

Mama trzymała się obiema rękami za głowę, łażąc zygzakiem między stertami swoich zasranych gratów. Wyglądało to trochę melodramatycznie, a trochę nie. No bo kiedy mama głęboko coś przeżywa, odstawia właśnie melodramat. Czyli w sumie wychodzi chyba wcale nie melodramatycznie?

Ostatnio zdarzało mi się czasem coś takiego, że w samych rękach i nogach zaczynał buzować jakiś plan. Wiedziałem wtedy, że muszę mu zaufać. Twarz mi pałała i czułem coś jakby „gazu, gazu, gazu".

Przeważnie się to sprawdzało.

W tamtej chwili ten buzujący plan wyglądał mniej więcej tak: złapać mamę, wepchnąć ją do domu i usadzić, dorwać Harrisa i też usadzić, podpalić chałupę, a przynajmniej udać, że podpalam, bo to by zwróciło ich uwagę i musieliby wreszcie się zachować jak dorośli ludzie.

Dałem szpulę ze wzgórza, wepchnąłem mamę do domu i posadziłem na schodach, złapałem Harrisa za koszulę i podstawiłem mu nogę, aż upadł na deski podłogi. Przytknąłem zapałkę do wykładziny przykrywającej schody, a kiedy się zajęła ogniem, podniosłem palec, że niby: Cisza, płynie przeze mnie moc niedawnych mrocznych przeżyć.

Oboje zamilkli z przerażenia, więc poczułem ten rodzaj wstydu, który czasem człowieka ogarnia i wtedy wiadomo, że nie uleczą go żadne przeprosiny, można tylko wyjść i ściągnąć na siebie jeszcze większy wstyd.

Zadeptałem płonącą wykładzinę i poszedłem na Gleason Street, gdzie Joy i dzieci mieszkali z Dupkiem.

7

To dopiero była załamka: mieli jeszcze ładniejszy dom niż Renee.

W oknach się nie świeciło. Na podjeździe stały trzy samochody. Czyli wszyscy w domu i w betach.

Stanąłem, żeby przemyśleć sytuację.

Potem zawróciłem do śródmieścia i wszedłem do jakiegoś sklepu. Bo to chyba był sklep. Chociaż nie mogłem się połapać, co tam właściwie sprzedają. Na żółtych ladach, podświetlonych od wewnątrz, leżały masywne plakietki z niebieskiego plastiku. Wziąłem jedną do ręki. Było na niej słowo „MiiVOXmax".

– Co to? – spytałem.

– Należałoby raczej spytać, do czego to służy – odpowiedział koleś za ladą.

– A do czego?

– Właściwie – odparł sprzedawca – akurat panu bardziej by się chyba przydała ta.

Podał mi identyczną plakietkę, ale ze słowem „MiiVOXMIN".

Drugi kolo przyniósł espresso i ciastka.

Odłożyłem MiiVOXMIN i wziąłem MiiVOXMAX.

– Ile? – spytałem.

– Ile pieniędzy? – upewnił się koleś.

– Jak to działa? – spytałem.

– Chce pan wiedzieć, czy to zbiornica danych, czy raczej domena hierarchizowania informacji? Otóż i tak, i nie.

Byli uroczy. Na twarzach ani jednej zmarszczki. Mówię o nich „kolesie", bo mieli mniej więcej tyle samo lat co ja.

– Długo mnie tu nie było – powiedziałem.

– Witamy w domu – rzekł pierwszy koleś.

– A gdzie pan był? – spytał drugi.

– Na wojnie – odparłem najobelżywszym tonem, jaki zdołałem z siebie wykrzesać. – Może o niej słyszeliście?

– Ja słyszałem – powiedział z szacunkiem pierwszy koleś. – Dziękuję panu za pańską służbę.

– A która to wojna? – spytał drugi. – Bo chyba są dwie?

– Czy mi się dobrze zdaje, że jedną niedawno odwołano? – rzekł pierwszy.

– Mój kuzyn też jest na wojnie – oznajmił jego kolega. – Na jednej albo drugiej. Tak mi się przynajmniej zdaje. Wiem, że miał jechać na front. Nigdy nie byliśmy w zbyt bliskich stosunkach.

– W każdym razie dziękuję – powiedział pierwszy i wyciągnął do mnie rękę, a ja mu podałem swoją.

– Byłem przeciwny wojnie – rzekł drugi. – Ale wiem, że pan nie miał z nią nic wspólnego.

– No – odparłem. – Trochę jednak miałem.

– Byłeś czy jesteś przeciwny? – spytał pierwszy drugiego.

– Byłem i jestem – odpowiedział drugi. – Ale czy ona wciąż trwa?

– Która? – spytał pierwszy.

– Czy ta, na której pan był, wciąż trwa? – zwrócił się do mnie drugi.

– Tak – powiedziałem.

– A jak się panu zdaje, idzie nam lepiej czy gorzej? – spytał pierwszy. – Czy według pana wygrywamy? Ojej, co ja wygaduję? Przecież właściwie mnie to nie obchodzi, więc śmieszne pytanie!

– Tak czy owak – rzekł drugi i wyciągnął do mnie rękę, a ja podałem mu swoją.

Byli tacy mili, wyrozumiali i ufni, tak bardzo *za mną*, że wyszedłem z uśmiechem na twarzy i dopiero przed najbliższą przecznicą zauważyłem, że wciąż trzymam w ręku MiiVOXMAX. Stanąłem pod latarnią i przyjrzałem się plakietce. Wyglądała całkiem zwyczajnie: ot, plakietka. Ktoś chce MiiVOXMAXa, więc ją daje komuś innemu, a tamten idzie i przynosi mu skądś ten jakiś MiiVOXMAX, cokolwiek to jest.

8

Drzwi otworzył mi Dupek.

Naprawdę miał na imię Evan. Chodziliśmy razem do szkoły. Mgliście pamiętałem, jak w indiańskim pióropuszu zasuwał korytarzem.

– Mike – powiedział.

– Mogę wejść? – spytałem.

– Chyba muszę odpowiedzieć odmownie – odparł.

– Chciałbym zobaczyć dzieci.

– Minęła północ – rzekł Dupek.

Miałem dość silne przekonanie, że kłamie. Bo czy po północy sklepy byłyby otwarte? Ale księżyc stał wysoko, a w powietrzu wisiała jakaś wilgoć i smutek, który zdawał się mówić: „No, wcześnie to nie jest".

– A jutro? – spytałem.

– To by ci odpowiadało? – upewnił się. – Po moim powrocie z pracy?

Widziałem, że obaj postanowiliśmy rozegrać sprawę rozsądnie. Jedną z oznak rozsądku było mówienie wszystkiego tonem pytającym.

– Koło szóstej? – powiedziałem.

– Szósta ci pasuje? – spytał.

Dziwaczne było to, że właściwie nigdy nie widziałem ich razem. Żona w jego łóżku mogła być zupełnie inną kobietą.

– Wiem, że to niełatwe – powiedział.

– Wyruchałeś mnie – odparłem.

– Z całym szacunkiem muszę zaprzeczyć – rzekł.

– Nie wątpię.

– Nie wyruchałem cię ani ja, ani ona. Była to trudna sytuacja dla wszystkich zainteresowanych.

– Dla niektórych trudniejsza niż dla innych – zwróciłem mu uwagę. – Przyznasz chociaż tyle?

– Czy aby rozmawiamy szczerze? A może krążymy na paluszkach wokół konfliktu?

– Szczerze – powiedziałem, a on zrobił taką minę, że na chwilę znowu go polubiłem.

– Mnie było trudno, bo czułem się jak kupa gnoju – rzekł. – I jej też było trudno, dlatego że czuła się jak kupa gnoju. Obojgu nam było trudno, bo czując się jak dwie kupy gnoju, doznawaliśmy zarazem mnóstwa innych uczuć, które, zapewniam cię, były i są najrzeczywistsze w świecie, są istnym błogosławieństwem, że się tak wyrażę.

Przy tych słowach poczułem się jak skończony frajer, jakby kilku facetów obezwładniało mnie, żeby inny facet mógł podejść i swoją podrasowaną na

New Age piąchę wsadzić mi w dupę, tłumacząc jednocześnie, że trzymanie piąchy w mojej dupie wcale nie jest dla niego wymarzoną sytuacją, a nawet przyprawia go o wewnętrzne rozdarcie.

– Szósta – powiedziałem.

– Szósta będzie w sam raz – odparł. – Na szczęście mam nienormowany czas pracy.

– Obejdzie się bez ciebie.

– Gdybyś znalazł się na moim miejscu, a ja na twoim, czy nie wydawałoby ci się, że z jakichś powodów może jednak powinieneś tu być?

Na podjeździe stały saab, escalade i jeszcze nowszy saab z dwoma fotelikami dziecięcymi i nieznanym mi pluszowym klaunem.

Trzy wozy dla dorosłej pary – pomyślałem. Co za kraj. Co za para samolubnych fiutów, ta moja żona i jej nowy mąż. Doskonale sobie wyobrażałem, jak z biegiem lat moje maleństwa przeistaczają się w dwoje samolubnie fiutowatych maleństw, maluchów, dzieci, nastolatków i wreszcie dorosłych, a ja przez cały czas chyłkiem krążę wokół nich jak jakiś nieczysty, podejrzany wujo.

Mieszkali w dzielnicy zamczysk. W jednym dwoje ludzi trzymało się w objęciach. W innym jakaś kobieta miała na stole chyba z dziewięć milionów gwiazdkowych domków, jakby robiła inwentaryzację. Po drugiej stronie rzeki zamki były mniejsze, a w naszej dzielnicy po prostu jak chłopskie chaty.

W jednej pięcioro dzieci stało całkiem bez ruchu na oparciu kanapy. Wtem wszystkie naraz zeskoczyły, a ich psy oszalały.

9

Dom mamy był pusty. Ona i Harris siedzieli na podłodze w salonie i dzwonili pod różne numery, szukając dla siebie jakiegoś kąta.

– Która godzina? – spytałem.

Mama spojrzała na miejsce po zegarze.

– Zegar leży na chodniku – powiedziała.

Wyszedłem.

Zegar leżał pod płaszczem. Była dziesiąta. Evan mnie wyruchał. Przez chwilę zastanawiałem się, czy nie wrócić i nie zażądać, żeby mi pokazał dzieci, ale zanimbym tam doszedł, zrobiłaby się jedenasta, więc mógłby ze sporą dozą słuszności powołać się na późną porę.

Wszedł szeryf.

– Pani nie wstaje – powiedział do mamy.

Mama wstała.

– Pan wstanie – powiedział do mnie.

Nie ruszyłem się z miejsca.

– To pan przewrócił pana Kleesa? – spytał szeryf.

– On prosto z wojny – rzekła mama.

– Dziękuję panu za pańską służbę – powiedział szeryf. – Mogę prosić, żeby na przyszłość powstrzymał się pan od przewracania ludzi?

– Mnie też przewrócił – wtrącił Harris.

– Głównie rozchodzi mi się o to, że nie mam ochoty co i rusz aresztować weteranów – oświadczył szeryf. – Sam jestem weteranem. Więc jak pan mi pójdzie na rękę i przestanie przewracać ludzi, ja też pójdę panu na rękę i pana nie aresztuję. Umowa stoi?

– W dodatku chciał spalić dom – powiedziała mama.

– Nie radziłbym niczego palić – rzekł szeryf.

– Nie jezd sobą – powiedziała mama. – Pan się aby na niego spojrzy.

Szeryf widział mnie pierwszy raz w życiu, ale chyba duma zawodowa nie pozwalała mu przyznać, że z braku punktu odniesienia nie może ocenić mojego wyglądu.

– Rzeczywiście znać po nim zmęczenie – powiedział.

– Ale silny z niego chłop – zauważył Harris. – Przewrócił mnie jednym ruchem.

– Dokąd się jutro wybieracie, kochani? – spytał szeryf.

– Ma pan jakiś pomysł? – spytała mama.

– Do kogoś ze znajomych albo krewnych? – podsunął szeryf.

– Do Renee – powiedziałem.

– A jak nie tam, to do schroniska na Fristen? – podrzucił szeryf.

– Gdzie jak gdzie, ale do Renee w życiu nie pójdę – zarzekła się mama. – Wszyscy u niej w domu zadzierają nosa. Już teraz uważają, że nisko upadlim.

– No bo upadlim – powiedział Harris. – W porównaniu z nimi.

– Do żadnego trzykropionego schroniska też w życiu nie pójdę – oświadczyła mama. – Tam można złapać mendy.

– Właśnie stamtąd żem je miał, jak zaczynalim randkować – podpowiedział uczynnie Harris.

– Przykro mi, że tak to wyszło – przyznał szeryf. – Wszystko na opak i wspak.

– Do czego to podobne – rzekła mama. – Pracuję w kościele, a mój syn jezd bohater. Odznaczony Srebrną Gwiazdą. Wyciągł żołnierza piechoty morskiej za trzykropioną stopę. Dostalim list. I gdzie żem wylądowała? Na ulicy.

Szeryf już się tymczasem wyłączył i tylko czekał na okazję, żeby dać dyla w drzwi i wrócić do tego czegoś, co uważał za rzeczywistość.

– Znajdźcie sobie jakieś mieszkanie, kochani – poradził dobrotliwie na odchodnym.

Harris i ja wciągnęliśmy z powrotem do domu dwa materace. Leżały jeszcze na nich prześcieradła, koce i cała pościel. Ale prześcieradło na materacu mamy i Harrisa było z jednego brzegu poplamione od trawy, a poduszki śmierdziały błotem.

Spędziliśmy długą noc w pustym domu.

10

Rano mama zadzwoniła do kilku pań, które znała, kiedy była młodą matką, ale jednej wypadł dysk, druga miała raka, a u bliźniąt trzeciej właśnie stwierdzono psychozę maniakalno-depresyjną.

W blasku dnia Harris znów nabrał odwagi.

– Co do tego sądu wojennego – powiedział. – To było najgorsze, co żeś przeskrobał? A może żeś zrobił jeszcze gorsze rzeczy, tylko żeś się nie dał złapać?

– Uniewinnili go – stwierdziła zwięźle mama.

– Mnie też tamtą razą uniewinnili z włamania i wtargnięcia – rzekł Harris.

– A w ogóle co ci do tego? – spytała mama.

– On na pewno chce się wygadać – rzekł Harris. – Przewietrzyć sprawę. To zdrowe dla duszy.

– Zobacz jego minę, Har – powiedziała mama.

Harris spojrzał na moją minę.

– Przepraszam, żem wspomniał – powiedział.

I wtedy wrócił szeryf. Kazał mnie i Harrisowi wywlec materace na dwór. Staliśmy na werandzie, patrząc, jak zamyka drzwi na kłódkę.

– Przez osiemnaście lat byłeś moim ukochanym domem – rzekła mama, być może naśladując jakiegoś Siuksa z filmu.

– Będziecie musieli się postarać o furgonetkę – powiedział szeryf.

– Mój syn służył na wojnie – rzekła mama. – A wy mnie tak.

– To ja byłem tu wczoraj – powiedział szeryf i nie wiadomo dlaczego ułożył z dłoni ramkę wokół twarzy. – Pamięta mnie pani? Już mi to pani mówiła. Podziękowałem mu za służbę. Sprowadźcie furgonetkę albo cały ten wasz szajs wyląduje na wysypisku.

– Patrzcie, ludzie, jak się taki obchodzi z pracownicą kościoła – rzekła mama.

Ona i Harris przegrzebali swój szajs, znaleźli walizkę i wypchali ją ubraniami.

No i pojechaliśmy autem do Renee.

Czułem, że będą jaja.

11

Chociaż właściwie i tak, i nie. Bo czułem też parę innych rzeczy.

Na przykład: O, mamo, pamiętam, jak byłaś młoda i nosiłaś warkocze, a ja bym umarł, gdybym wtedy wiedział, że tak się stoczysz.

Albo: Ty stara świrusko, wczoraj wieczór żeś mnie zakapowała. Co ci odbiło?

I jeszcze: Mamo, mamusiu, pozwól mi uklęknąć przed tobą i opowiedzieć, co ja, Smelton i Ricky G. zrobiliśmy w Al-Raz, a potem mnie pogłaszczesz po głowie i zapewnisz, że każdy na naszym miejscu zrobiłby dokładnie to samo.

Kiedy przejeżdżaliśmy przez most nad strumieniem, widziałem, co mama czuje: Niech tylko ta cała Renee się mnie wyprze, to podam tej małej trzykropce jej trzykropionego trzykropka na półmisku.

Ale bęc! Kiedy już przejechaliśmy na drugi brzeg i w powietrzu zamiast rzecznego chłodu znów było to co zawsze, mama też zmieniła minę, że niby: O Boże, jeżeli Renee mnie się wyprze przy rodzicach Ryana, a oni znowuż pomyślą, że jezdem śmieć, to skonam, normalnie skonam.

12

Renee rzeczywiście wyparła się mamy przy rodzicach Ryana, a oni rzeczywiście znów uznali ją za śmieć.

Ale mama jakoś nie skonała.

Trzeba było widzieć ich miny, kiedy weszliśmy.

Renee wyraźnie się załamała. Ryan też. Jego rodzice tak bardzo się starali nie pokazać, jacy są załamani, że raz po raz coś przewracali. Runął wazon, bo ojciec Ryana niezdarnie rzucił się naprzód, siląc się na radosną gościnność. Jego żona zatoczyła się prosto w obraz na ścianie, aż wylądował w jej złożonych na krzyż ramionach, obleczonych rękawami czerwonego swetra.

– To jest to dziecko? – spytałem.

Mama znów rozwarła na mnie jadaczkę:

– A co żeś myślał? Że to karzeł niemowa?

– Tak, to Martney – powiedziała Renee, podając mi dziecko.

Ryan odchrząknął i ostro na nią spojrzał, że niby: coś chyba w tej sprawie ustaliliśmy, kotku.

Renee raptem zmieniła kurs, przekierowując dziecko ku górze, jakby rozumiało się samo przez się, że skoro trzyma je wysoko, już nie muszę brać go na ręce, bo przecież lampa spod sufitu świeci prosto na malucha i w ogóle.

Zabolało mnie to.

– Kurwa – zakląłem. – Myślisz, że co mu zrobię?

– Proszę, nie mów u nas w domu „kurwa" – rzekł Ryan.

– Proszę, nie mów, trzykropek, mojemu synowi, co ma, trzykropek, mówić – powiedziała mama. – Walczył na wojnie i w ogóle.

– Dziękuję panu za pańską służbę – wtrącił ojciec Ryana.

– Z łatwością możemy się przenieść do hotelu – powiedziała jego żona.

– Nie pójdziecie do żadnego hotelu, mamo – zaprotestował Ryan. – Niech oni tam sobie idą.

– Nie pójdziemy do hotelu – zarzekła się mama.

– Z łatwością możecie pójść do hotelu, mamo. Przecież uwielbiasz dobre hotele – powiedziała Renee. – Zwłaszcza kiedy my płacimy.

Nawet Harris był zdenerwowany.

– Hotel to przemiły pomysł – stwierdził. – Wiele wody upłynęło, odkąd zdarzyło mi się spocząć w przyjemnym miejscu na podobieństwo hotelu.

– Posłałabyś rodzoną matkę, pracownicę kościoła, i bohaterskiego brata, odznaczonego Srebrną Gwiazdą, który dopiero co wrócił się z powrotem z wojny, do jakiejś zapchlonej noclegowni? – spytała mama.

– Tak – odparła Renee.

– Mogę chociaż potrzymać dziecko? – spytałem.

– Nie na mojej wachcie – odrzekł Ryan.

– Jane i ja chcielibyśmy pana zapewnić, że od dawna całym sercem popieramy misję, w której pan uczestniczył – powiedział ojciec Ryana.

– Wielu ludzi nie zdaje sobie sprawy, ile zbudowaliście tam szkół – dodała jego żona.

– Ludziom przeważnie najbardziej rzuca się w oczy negatywny aspekt sytuacji – rzekł jej mąż.

– Jak to się mówi? – spytała matka Ryana. – Żeby usmażyć to czy owo, trzeba najpierw stłuc mnóstwo tego czy tamtego?

– Chyba mógłby potrzymać dziecko – powiedziała Renee. – Przecież stoimy tuż obok.

Ryan skrzywił się i pokręcił głową.

Dziecko zaczęło się wiercić, jakby też wierzyło, że ważą się jego losy.

Ponieważ wszyscy ci ludzie byli przekonani, że zrobię dziecku krzywdę, zacząłem sobie w końcu wyobrażać, że naprawdę je krzywdzę. Czy to znaczyło, że naprawdę bym je skrzywdził? Czy chciałem je skrzywdzić? Nie, za Boga. Ale: czy to, że nie zamierzałem zrobić mu krzywdy, gwarantowało, że go nie skrzywdzę, jak przyjdzie co do czego? Czy nie zdarzyło mi się całkiem niedawno, że wcale nie mając zamiaru popełnić czynu A, nagle stwierdziłem, że właśnie go popełniam?

– Wcale nie chcę potrzymać dziecka – oświadczyłem.

– Dziękuję – powiedział Ryan. – To fajnie z twojej strony.

– Chcę potrzymać ten dzban – powiedziałem i złapałem za ucho dzbana, a potem przytuliłem go do siebie jak niemowlę, aż chlusnęła lemoniada, a kiedy rozlała się w sporą kałużę, cisnąłem dzbanem o podłogę z tropikalnego drewna.

– Strasznie mnie uraziliście! – zawołałem.

Już po chwili żwawo szedłem chodnikiem.

13

No i wróciłem do tamtego sklepu.

Zastałem tam dwóch innych facetów, młodszych niż dwaj poprzedni. Wyglądali jak licealiści. Oddałem im plakietkę MiiVOXmax.

– O kurwa! – zaklął pierwszy. – Zastanawialiśmy się, gdzie się to jebaństwo podziało.

– Mieliśmy już wysłać upomnienie – powiedział drugi, przynosząc espresso i ciastka.

– Czy to coś cennego? – spytałem.

– Ha, jeszcze jak – westchnął pierwszy, po czym wyjął spod lady specjalną szmatkę, wytarł plakietkę z kurzu i odłożył z powrotem pod szybę.

– Co to jest? – spytałem.

– Należałoby raczej spytać, do czego służy – odpowiedział pierwszy.

– A do czego?

– Właściwie – odparł sprzedawca, podając mi plakietkę MiiVOXmin – akurat panu bardziej by się chyba przydała ta.

– Długo mnie tu nie było – powiedziałem.

– Nas też – rzekł drugi.

– Dopiero co wyszliśmy z wojska – wyjaśnił pierwszy.

Potem wszyscy po kolei powiedzieliśmy, gdzie który służył.

Okazało się, że ja i pierwszy kolo byliśmy właściwie w tym samym miejscu.

– Czekaj, to ty byłeś w Al-Raz? – spytałem.

– Byłem totalnie w Al-Raz – odparł.

– Muszę przyznać, że najgorsze gówno mnie ominęło – powiedział drugi. – Tylko przejechałem psa wózkiem widłowym.

Spytałem pierwszego, czy pamięta koźlątko, postrzelaną ścianę, płaczącego malucha, ciemną sklepioną sień i gołębie, które nagle wyprysnęły spod szarego, łuszczącego się okapu.

– Byłem wtedy gdzie indziej – powiedział. – Kawałek dalej nad rzeką, przy łódce odwróconej do góry dnem, tam gdzie ta rodzinka ubrana na czerwono, która co chwila napataczała się przed oczy?

Dokładnie wiedziałem, gdzie wtedy był. Nie do wiary, ile razy przed rozpryskiem gołębi i po nim widziałem na horyzoncie albo nad rzeką jakąś błagającą, przyczajoną lub uciekającą postać w czerwieni.

– Ale psu w końcu nic się nie stało – rzekł drugi. – Wylizał się i w ogóle. Zanim wróciłem do cywila, jeździł razem ze mną na wózku widłowym.

Weszła rodzina złożona z dziewięciorga Indian, więc drugi kolo zaniósł im espresso i ciastka.

– Al-Raz, o rany – powiedziałem na próbę.

– Dla mnie? – rzekł pierwszy kolo. – Dzień w Al-Raz był najgorszy z całej służby.

– Dla mnie też, dokładnie – przytaknąłem.

– W Al-Raz spierdoliłem sprawę na całego – ciągnął tamten.

Nagle zabrakło mi tchu.

– Mój kumpel Melvin? – powiedział kolo. – Dostał szrapnelem prosto w krocze. Przeze mnie. Za długo zwlekałem z wezwaniem wsparcia artyleryjskiego. Niedaleko trwało jakieś babskie przyjątko. Chyba z piętnaście lasek w sklepie na rogu. I to z dziećmi. Więc zwlekałem. Źle się to skończyło dla Melvina. Dla jego krocza.

Czekał, aż ja z kolei opowiem, jak spierdoliłem sprawę.

Odłożyłem plakietkę MiiVOXmin, znowu wziąłem ją do ręki i odłożyłem z powrotem.

– Ale Melvin się wylizał – dodał kolo i lekko popukał się dwoma palcami w krocze. – Wrócił do domu, kumasz, i robi doktorat. Podobno nawet daje radę się pierdolić.

– Dobra wiadomość – powiedziałem. – Czasem pewnie nawet jeździ z tobą na wózku widłowym.

– Co proszę? – zdziwił się.

Spojrzałem na zegar ścienny. Wyglądał, jakby nie miał wskazówek. Tylko jakiś żółto-biały deseń się ruszał.

– Wiesz, która godzina? – spytałem.

Kolo spojrzał na zegar.

– Szósta – powiedział.

14

Na ulicy znalazłem budkę telefoniczną i zadzwoniłem do Renee.

– Przepraszam – powiedziałem. – Przepraszam za ten dzban.

– Nic takiego – rzekła Renee, tym razem nie modulując głosu. – Kupisz mi nowy.

Słyszałem, że stara się załagodzić sytuację.

– Nie – powiedziałem. – Nie mam zamiaru.

– Gdzie jesteś, Mikey? – spytała.

– Nigdzie – odparłem.

– A dokąd się wybierasz?

– Do domu – powiedziałem i odwiesiłem słuchawkę.

15

Idąc Gleason Street, miałem to znajome uczucie: moje dłonie i stopy nie wiedziały, czego właściwie chcą, ale skłonne były wszystko i każdego zepchnąć z drogi, wtargnąć i zacząć totalną demolkę, rzucając gratami o ściany, wykrzyczeć, co ślina na język przyniesie, i zobaczyć, co będzie dalej.

Czułem się, jakbym zjeżdżał po pochylni wstydu. Rozumiecie? Jeszcze w liceum jeden taki najął mnie do czyszczenia sadzawki. Wbijało się grabie w dno, wygarniało szlam i odrzucało na bok. Nagle zęby grabi urwały się z trzonka i spadły na kupę szlamu. Kiedy po nie poszedłem, zobaczyłem chyba z milion kijanek, zdechłych i zdychających, akurat w tym wieku, kiedy im sterczą wzdęte brzuszki, jak malutkim kobietkom w ciąży. Zdechłe i zdychające miały to wspólnego, że miękkie białe podbrzusza rozdarł im spadający raptem z wysoka szlam. A różniły się tym, że tylko te zdychające gestykulowały z przerażenia jak szalone.

Próbowałem kilka uratować, ale były takie delikatne, że tylko je gorzej umęczyłem, biorąc do ręki.

Kto inny może umiałby powiedzieć facetowi, który mnie najął: „Dłużej nie dam rady, bo mam wyrzuty sumienia, że zabiłem tyle kijanek". Ale ja się na to nie zdobyłem, więc dalej grabiłem i wygarniałem.

Przy każdym pociągnięciu/machnięciu grabiami myślałem o tym, że znowu rozkrwawiam jakieś brzuszki.

Z tego wszystkiego w końcu znienawidziłem te żaby.

Były dwie możliwości: (A) Jestem potworem, który świadomie w kółko robi tę straszną rzecz, i (B) w sumie nie robię nic strasznego, tylko coś całkiem normalnego, a żeby potwierdzić tę normalność, muszę raz za razem czynność powtarzać.

Po latach, w Al-Raz, czułem to samo.

Stałem przed domem.

Stałem przed domem, w którym tamci gotowali, śmiali się, pierdolili. Stałem przed domem, wiedząc, że za jakiś czas każda prowadzona w nim rozmowa ucichnie na dźwięk mojego imienia, a Joy powie coś w rodzaju: „Evan nie jest wprawdzie, nie jest waszym rodzonym tatą, ale tata Evan i ja uważamy, że nie potrzebujecie zbyt wiele przebywać z tatą Mikiem, bo mnie i tacie Evanowi najbardziej zależy na tym, żebyście oboje rośli silni i zdrowi, a czasem mamusie i tatusiowie muszą stworzyć specjalną atmosferę, która to umożliwi".

Spojrzałem, czy trzy auta stoją na podjeździe. Trzy auta znaczyłyby: wszyscy w domu. Chciałem zastać wszystkich w domu? Tak. Niechby wszyscy łącznie z dziećmi zobaczyli, co mnie spotkało, uczestniczyli w tym i mi współczuli.

Ale zamiast trzech aut na podjeździe stało pięć.

Na werandzie zobaczyłem Evana, tak jak się spodziewałem. Prócz niego była tam Joy i dwie spacerówki. No i mama.

I Harris.

I Ryan.

Renee niezdarnie truchtała po podjeździe, za nią mama Ryana, przyciskając do czoła chusteczkę, a tata Ryana zamykał pochód, bo utykał na jedną nogę, czego przedtem nie zauważyłem.

Wy? – pomyślałem. Wy błazny? Świrnięte pojeby? Tylko was posłał Bóg, żeby mnie powstrzymać? A tom się uchachał. Boki, kurwa, zrywać. I czym mnie powstrzymacie? Swoją tuszą? Dobrymi zamiarami? Dżinsami z Targetu? Latami dostatniego życia? Wiarą, że wszystko bez wyjątku da się naprawić gadaniem, gadaniem bez końca, optymistycznym biciem piany?

Zarys nadciągającej katastrofy rozszerzył się, aż zmieścił w sobie śmierć wszystkich obecnych.

Poczułem, że palą mnie policzki, i pomyślałem: „gazu, gazu, gazu".

Mama spróbowała się dźwignąć z wiszącej kanapki na werandzie, ale nie dała rady. Ryan dwornie przytrzymał ją za łokieć, pomagając wstać.

I wtedy coś nagle we mnie zmiękło, może na widok mamy, że taka słaba, więc spuściłem głowę i potulnie wszedłem w ten tłumek naiwniaków, myśląc:

Dobra, dobra, wysłaliście mnie, to mnie teraz sprowadźcie z powrotem. Znajdźcie sposób, żeby mnie sprowadzić, skurwysyny, bo jak nie, to będziecie najżałośniejszą zgrają skurwieli, jaką świat widział.

Moje rycerskie fiasko

Znów nadeszła Noc Pochodni.

Koło dziewiątej poszłem się odlać. W lesie na tyłach stała wielka cysterna, która zasilała naszą sztuczną rzekę, i leżał stos starych pancerzy.

Przemknął obok mnie Don Murray, jakby trochę sfatygowany. Potem usłyszałem szloch. Przy stosie pancerzy leżała na plecach Pomywaczka Martha w chłopskiej kiecce zadartej aż po pępek.

Martha: Ten facet to mój szef. O mój Boże o mój Boże.

Wiedziałem, że Don Murray jest jej szefem, bo był i moim.

Nagle mnie poznała.

Nie wygadaj się, Ted – poprosiła. – Błagam. Nic się nie stało. Nate nie może się dowiedzieć. To by go zabiło.

I z oczami podkrążonymi od płaczu dała dyla na parking.

Kuchnia wystawiła na toporny stół przy czwartej baszcie mnóstwo jadła: prawdziwe świńskie głowy, całe kury i kaszankę.

Don Murray stał i z ponurą miną grzebał w surówce z kapusty.

Kiwnął mi głową tak przyjaźnie jak jeszcze nigdy w życiu.

Kobiety – powiedział.

Zajrzyj do mnie – przeczytałem nazajutrz rano na kartce, przyklejonej do mojej szafki.

W gabinecie Dona Murraya siedziała Martha.

Słuchaj, Ted – zaczął Don Murray. – Wczoraj wieczór byłeś świadkiem czegoś, co mogłoby ci się wydać nie całkiem prawidłowe, gdybyś spojrzał pod niewłaściwym kątem. Martha i ja uważamy, że to śmiechu warte. Prawda, Mar? Przed chwilą dałem jej tysiąc dolarów. Na wypadek jakiegoś nieporozumienia. Martha teraz jest zdania, że zdarzył nam się skok w bok. A ponieważ ona ma męża, a ja żonę, oboje bardzo tego żałujemy. Tyle się wczoraj piło, a Noc Pochodni jest taka romantyczna, że co się stało, Martho?

Martha: Poniosło nas. Zdarzył nam się skok w bok.

Don: Dobrowolny skok w bok.

Martha: Dobrowolny skok w bok.

Don: To jeszcze nie wszystko, Ted. Martha awansuje. Z Pomywaczki na Aktorkę Dublerkę. Ale podkreślam: nie awansujesz z powodu naszego dobrowolnego skoku w bok. To czysty zbieg okoliczności. Dlaczego awansujesz?

Martha: Zbiegiem okoliczności.

Don: Zbiegiem okoliczności, no i zawsze miałaś zabójczy etos pracy. Ted, ty też awansujesz. Z Woźnego na Kroczącego Wartownika.

Zatkało mnie. Byłem Woźnym sześć lat. Człowiek mojego kalibru. Ja i Przynieś-Podaj czasem tak sobie żartowaliśmy.

Erin dzwoniła nieraz z góry i mówiła: Przynieś-Podaj, w Zagajniku Smutku ktoś puścił pawia.

A na to Przynieś-Podaj: Żeby człowiek mojego kalibru...?

Albo Erin meldowała: Ted, jakaś dama upuściła w chlewie naszyjnik i ze złości sra po nogach.

A ja odpowiadałem: Żeby człowiek mojego kalibru...?

A na to Erin: Ruszaj się. To nie żarty. Ona mi nie daje żyć.

Nasze świnie były sztuczne, tak samo jak pomyje i gnój, ale i tak nie widziałem nic zabawnego w tym, że muszę włożyć gumiaki i wciągnąć do chlewu przesiewacz DeLux, żeby na ten przykład znaleźć naszyjnik jakiejś tam damy. Dla osiągnięcia maksymalnej wydajności przesiewacza DeLux trzeba było najpierw przetaszczyć sztuczne świnie w kąt. Chrząkały bez ustanku, bo tak je zaprogramowano, więc taszczenie mogło wyglądać śmiesznie, jeżeli człowiek zabrał się do takiej świni od złego końca.

Ktoś z przypadkowych gapiów mógł powiedzieć: Patrzajcie, gościu daje świniakowi cycka.

I wszyscy w śmiech.

Toteż awans na Kroczącego Wartownika bardzo mnie ucieszył.

Robiłem ostatnio za jedynego żywiciela rodziny. Mama była chora, Beth płochliwa, a tacie niedawno pękł niestety kręgosłup, kiedy przygniotło go auto, które właśnie naprawiał. No i mieliśmy parę okien do wymiany. Przez całą zimę Beth chodziła z odkurzaczem i płochliwie wciągała nim śnieg. Jak ktoś wchodził w tym czasie do pokoju, tak ją to płoszyło, że nie mogła dalej odkurzać.

Kiedy tamtego wieczoru wróciłem do domu, tata obliczył, że niedługo będziemy mogli kupić mamie łóżko z podnoszonym wezgłowiem.

Tata: Jak będziesz dalej tak się piął, to może z czasem pozwolimy sobie na gorset dla mnie.

Ja: Murowane. Dopnę tego.

Kiedy po kolacji jechałem do miasta wykupić leki na receptę (dla mamy na ból, dla Beth na płochliwość i dla taty też na ból), minąłem dom Marthy i Nate'a.

Zatrąbiłem, nachyliłem się do okna i pomachałem, a potem zjechałem na pobocze i wysiadłem.

Hej, Ted – powiedział Nate.

Jak leci? – spytałem.

Nasza chałupa jest do dupy – odparł Nate. – Weź no popatrz. Do dupy, nie? A ja całkiem bez energii.

Dom rzeczywiście wyglądał fatalnie. Dach załatany był niebieską folią, dzieci nieśmiało skakały z taczek w błoto, a pod huśtawką chudy kucyk wylizywał się do gołego mięsa, jakby chciał być czysty, zanim wreszcie wyrwie się w lepsze warunki.

Znaczy się, gdzie się podziali dorośli? – spytał Nate.

Podniósł z ziemi opakowanie po snotzu i rozejrzał się, gdzie by je wyrzucić. W końcu upuścił je prosto na własny but.

Super – powiedział. – Stale i wciąż to samo.

O matko – westchnęła Martha, zdejmując mu papierek z buta.

Tylko ty mi się aby jeszcze nie rozsyp, dzidziu – powiedział Nate. – Nic by mi już nie zostało.

Wcale że nie – Martha na to. – Masz dzieci.

Niech no się jeszcze chociaż jedna sprawa spieprzy, wezmę i się zastrzelę – pogroził Nate.

Trochę wątpiłem, czyby mu starczyło ikry. Ale w takich razach nigdy nie wiadomo.

A co u was w robocie? – spytał. – Ta tutaj jest nieźle zdołowana, chociaż właśnie ją awansowali.

Poczułem, że Martha na mnie patrzy, jakby mówiła: Ted, moje życie w twoich rękach.

Nie będę się wychylać, pomyślałem. Moje życiowe doświadczenie, w którym raczej brak rekordowych osiągnięć, na ogół potwierdza słuszność porzekadła, że lepiej nie naprawiać tego, co niepopsute. Powiem więcej: nawet jeżeli się popsuło, zostaw w spokoju, bo najpewniej tylko gorzej popsujesz.

No więc powiedziałem coś mniej więcej w tym stylu, że awanse bywają trudne, bo człowiek strasznie się przez nie spina.

Martha z wdzięczności aż się rozpromieniła. Odprowadziła mnie do samochodu i dała trzy pomidory własnego chowu, które prawdę powiedziawszy, wyglądały ździebko geriatrycznie: małe, nieśmiałe i pomarszczone.

Dziękuję – szepnęła. – Uratowałeś mi życie.

Rano znalazłem w szafce mundur Kroczącego Wartownika i papierowy kubek z żółtą pigułką w środku.

Hura – pomyślałem. – Nareszcie Farmakologicznie Sterowana Rola.

Weszła pani Bridges z Działu Zdrowia i Bezpieczeństwa. Przyniosła mi kartę charakterystyki tej pigułki.

Pani Bridges: No więc weźmiesz tylko sto miligramów Rycerzyny®. Będzie ci łatwiej improwizować. Po tym środku musisz uważać, żeby się nie odwodnić.

Łyknąłem pigułkę i poszedłem pod Salę Tronową. Miałem Kroczyć przed drzwiami, za którymi rzekomo rozmyślał Król. Rzeczywiście tam siedział, a był nim Ed Phillips. Posadzili go w sali na potrzeby jednego z naszych Scenariuszy: przybywa Zwiastun, pędem mija Kroczącego Wartownika, otwiera na oścież wrota i wtedy Król wymyśla mu od zuchwalców, a Kroczącemu Wartownikowi od półgłówków, Zwiastun boleśnie się krzywi, zamyka wrota i zamienia parę słów z Kroczącym Wartownikiem.

Po niedługim czasie Rajcownia prawie wypełniła się Gośćmi. Zwiastun (czyli Kyle Sperling) potrącił mnie w przelocie i otworzył wrota. Ed nawymyślał mu od zuchwalców, a mnie od półgłówków. Kyle skrzywił się i zamknął wrota.

Kyle: Kajam się, żem pogwałcił protokół.

Wyleciała mi z głowy moja kwestia, czyli: Popędliwość twa pasję i męstwo znamionuje.

Więc tylko wydukałem: Eee, nie ma sprawy.

Kyle, jak na zawodowca przystało, ani się zająknął.

Kyle (dając mi kopertę): Dopilnuj, iżby mu to wręczono. Rzecz nader jest pilną.

Ja: Jego Królewska Mość myślami zda się przytłoczon.

Kyle: Rozmyślań ważkim brzemieniem?

Ja: Dokładnie. Rozmyślań ważkim brzemieniem.

Akurat wtedy Rycerzyna® dała mi kopa. Nagle zaschło mi w ustach. Pomyślałem, jak to miło ze strony Kyle'a, że mnie nie opieprzył za schrzanienie kwestii. Poczułem, że bardzo go lubię. A nawet kocham. Jak brata. Towarzysza. Szlachetnego kamrata. Mgliście pamiętałem, że przetrwaliśmy razem niejedną burzę. Wydało mi się na przykład, że niegdyś w jakowejś dalekiej krainie kuliliśmy się obaj u podnóża zamkowego muru, z góry lano na nas gorącą smołę, a myśmy smętnie się śmiali, jakbyśmy chcieli powiedzieć: Wszystko to chwilę jeno trwa, żyjmy przeto. A potem: Hura! Ruszyliśmy do szturmu. Po lada jak skleconych drabinach, wśród wielu Zaklinań, chociaż nie mogłem sobie przypomnieć ani ich dokładnego brzmienia, ani tego, czym skończył się rzeczony Szturm.

Kyle oddalił się niezabawem, jam zaś Gościom naszym fortunnie czas umilał już to Dowcipem, już to Szyderstwy rozmaitymi, rad wielce, żem po Trudach wielu dotarł nareszcie do miejsca w życiu, skąd Weselem takowym obdzielać mogę Wszystkich Razem i Każdego z Osobna.

Dzionek ów, i tak już wcale Przyjemny, Milszym jeszcze się stał dzięki przybyciu Dobrodzieja Mego, Jegomości Dona Murraya.

Rzekł tedy Don Murray, okiem radośnie mrugnąwszy: Wiesz, Ted, cośmy powinni kiedyś zrobić we dwóch? Pojechać na wycieczkę albo co. Na ryby, może pod namiot. Byle razem.

Na to Dictum serce me wezbrało. Ryby łowić, myślistwem się parać, Obozować z tym oto Mężem

Szlachetnym! Wędrować przez Pola rozległe i Bory zielone! Na Odwieczerz zaś lec w zacisznym Gaju nad Strumieniem wartkim, iżby wśród Rumaków naszych stłumionego Rżenia cicho gawędzić o Sprawach wielu, jako to o Honorze, Miłości, Nieprzezpieczności a Obowiązku godziwie spełnionym!

Wtem wszelako Losu zrządzeniem Rzecz zgubna się stała.

Owóż rzeczona Martha, za Ducha przebrana (Ducha Trzeciego, ścisłości gwoli), z inszymi Białogłowy dwiema, co się zowią Megan i Tiffany, w Giezła białe obleczonymi, oczom naszym się ukazała. Owo Trio Niewieście na taki się Fortel Przedni zmogło, że za Duchy się podało, co wrzekomo w Zamku tamecznym Straszyły, z Łańcuchów gromkim Potrząsaniem a Lamenty Smutnymi, przeto Goście nasi w Rajcowni, Sznurami Czerwonymi zamknieni, na Teatrum owo z rozdziawionymi Usty a Wrzaskiem i za Boki się braniem patrzyli.

Oblicze Marthy uźrzawszy, które Wesołym będąc, Ślad jakowegoś Straszliwego Wspomnienia jednakowoż nosiło (jam zaś dobrze wiedział, co to za Wspomnienie), mimo niedawnego uśmiechu Losu w niejaką Melankoliją popadłem.

Ową Nastroju mego Zmianę zoczywszy, rzekła do mnie cicho Martha na Stronie:

Martha: Spoko, Ted. Już to przebolałam. Serio. Nie żartuję. Odpuść.

O, że też Niewiasta tak Niezrównanie Cnotliwa, Ucierzpiawszy srodze, tak Szczerze a bez Ogródek przemówić do mnie raczyła, własnymi Słowy obiecując Gańbę swą w mrocznej Tajemnicy zachować!

Martha: Ted. Dobrze się czujesz?

Na com odrzekł: Zaprawdę, nie czułem się Dobrze, leczem był Roztargnion a Opieszały. Wżdym Umysłu przytomność ninie odzyskał i oto Wybaczenia błagam Uniżenie za onegdajsze me uchybienia względem Ciebie, o Pani.

Martha: Wyluzuj, Ted.

W owej to chwili sam Don Murray o krok Naprzód postąpił, a Dłoń wyciągnąwszy, na Piersi mej ją oparł, jakby Powściągnąć mię chciał.

Ted, jak Boga kocham – rzecze. – Daj sobie siana, bo raz-dwa spuszczę cię do kibla.

I zaiste jakowyś zakątek Pomyślunku mego Rady rozważnej mi udzielił: Sprobuj stłumić Uczucia, co tobą Targają, iżbyś Raptu jakowegoś się nie dopuścił, Losu Pomyślność w Niedolę obracając.

Atoli Serce Męża jest to Narząd, króren Niełatwo poddaje się Przewidywaniom i z Trudem jeno Okiełznać się dozwala.

Gdym bowiem na Dona Murraya pozierał, w Głowie mej Myśli bezlik kłębił się jako te Chmury Gromowe: Cóż wartym jest Życie, jeźli Człek Żyw drogą Słuszną nie Podąża, Sprawiedliwości nie

Strzegąc, acz zrządzeniem Boskim do tego jest Zdolen? Byłoż to Szczęsną okolicznością, że ów Łotr pośrzód Ludzi chadzał Nieposkromion? Czyli Słabi wędrować muszą po zacnym tym Padole, wiecznie bezbronnymi będąc? Myśli owe wzniecać jęły w piersi mej Poćciwość jakowąś z Męstwem pospołu, zaczym – ile że Skrytość nie przystoi Szlachcicowi – na sam śrzodek Komnatym wystąpił i do licznie zgromadzonych Gości zaiste Szczerą Proklamacją wygłosił, z Zapałem a Donośnie, uwiadamiając ich:

– Że Don Murray podle był Marthę wykorzystał, Grot swój wbrew jej Woli w Przyrodzenie jej Niewieście wrażając podczas Nocy z Pochodniami;

– I że Niegodziwiec ów Wszeteczny do Milczenia był ją nakłonił Przekupstwy Rozmaitymi, jako to przydzielonym jej ninie Zadaniem;

– I że takąż modą moje Milczenie kupić probował, wżdy ja DALEJ MILCZEĆ NIE ZAMIERZAM, nie czym INSZYM zresztą będąc jak jeno Mężem, postanawiam tedy SŁUŻYĆ Słusznej Sprawie, na Koszta NIE bacząc.

Ku Marthy się zwróciwszy, Głowy skinieniem o Potwierdzenie słów owych Prawdy, a słuszności Wyznań mych Przyświadczenie poprosiłem. Niestetyż! Dziewka niczemu nie Przyświadczyła, jeno Wzrok spuściwszy, jakoby Zesromana z Komnaty precz Pierzchła.

Ochrona, od Don Murraya wezwaną będąc, wnet Przybiegła i ze Sposobności korzystając, Igrać z osobą mą poczęła, Ciosów tęgich wiele w Głowę i Ciało mi zadając. Zaczym z Komnaty mię Wywlókłszy, na Ulicę wypchnęła, iżby w Pyle barzo mię Wytarzać, a Kartę mą Godzinową na oczach mych w Strzępy potargać i na cztery Wiatry cisnąć, Pośmiewisko ze mnie Okrutne czyniąc, osobliwie zaś z Czapki mej, Pióry nadobnymi przystrojonej, z których jedno Zmięli Srodze.

Siedziałem, pokrwawion i posiniaczon, dopókim Godności ostatek na pomoc przywoławszy, do Dom nie ruszył, iżby we własnych Pieleszach wywczasów by najskromniejszych Zażyć. Nie stać mię było nawet na Myto, co je w Autobusie pobierają, ile że Plecak mój w Miejscu owym Plugawym się ostał, szedłem tedy Piechtą blisko Godzinę, a Słońce tymczasem mocno się Zniżyło, jam zaś smętnie Rozmyślał nad tym, żem się skądinąd w Osądzie był Poszkapił, Rodzinę swą skutkiem tego w nader ponurą Opresją wtrącając, przez co Ubóstwo nasze, i tak już Zaszczytu Zbawiające, po wielekroć Pomnożyć się miało.

Żegnaj, Gorsecie dla Oćca, żegnaj, Łoże Pochyłe dla Maci, to zaś, jaką Modą ekspensom na Rozliczne a Nieodzowne im Medykamenta sprostamy, Zagadką a Zgryzotą się jawiło.

Nalazłem się niebawem wpodle Garkuchni pospiesznej na Bulwarze Centralnym, kole zamkniętej

Stekowni, na ostrym, coraz to ostrzejszym będąc zjeździe, świadom, że lada chwila Eliksir działać przestanie, ja zaś stał będę przed naszym kapryśnym Telewizorem, usiłując wyłożyć we własnej gminnej Mowie, że choć Śniegi Zimowe wkrótce dadzą nam się we Znaki (wdzierając się nawet w Domostwo nasze, jakem uprzednio był Nadmienił), nadziei Pardonu nie masz dla nas nijakiej, Wylano mię bowiem, Wylano a Sromotą okryto!

I wtedy to cios jakoby Śmiertelny mię dosięgł, Szaleństwo me tym wyraźniej uwidaczniając, zadała mi go zaś Martha sama, zadzwoniwszy na Komórkę mą i rzekłszy ze szczerym Bólem w Głosie, któren zranił mię do Żywego: Stokrotne dzięki, Ted, możeś nie zauważył, że mieszkamy w zapyziałej pipidówie, o mój Boże, o mój Boże!

Zaczym ślozy lać jęła Najszczersze.

W rzeczy samej Plotki i Oszczerstwa w Mieście naszym Pleniły się jak Wiatrem roznoszone, wiedziałem tedy, że bez ochyby dotrą niebawem do uszu Nate'a, biednego pierdoły. Dowiedziawszy się zaś ową okrutną Modą o Marthy swej Plugawym Zniewoleniu, Nate jak Amen w pacierzu Szmergla dostanie.

Ciężka sprawa.

To dopiero zasrany Dzień.

Idąc na Skróty przez przynależne do liceum Boisko, gdzie widziane pod słońce Manekiny treningowe, ludziom podobne, którzy wiedzą, ile jest wart Język za zębami trzymany, Drwić ze mnie się zdały, próbowałem się jednakowoż Pocieszać, żem Słusznie był postąpił, Prawdzie się przysłużył i Odwagi dowód dał. Aliścim nie nalazł w tym nijakiej Pociechy. Czyny własne Dziwactwem wielgim mi się zdały. Co też mię napadło? Czułem się jak totalny piździMóżdżek, któren winien był dać pokój temu, co niepopsute, i więtszy Umiar zachować. Trafiła mi się szansa wychędożyć Szympansa i jam z tej sposobności zaiste skorzystał. Acz z drugiej Strony, czyli sam Dyabeł nie stroił się niekiedy w Powściągliwe Szatki, gdy Celom jego to służyło? Czyli nie Zbawiennym był taki Obrót zdarzeń, dzięki któremu Dona Murraya mogła spotkać Kara? Za kogom wszelako się uważał? Za jakowegoś Tuza?

Cholera.

Jasna cholera.

Popierdoliło się do imentu.

Nigdy nie zmyję z siebie tej Hańby.

Zdążyłem tymczasem prawie zupełnie wrócić do dawnego siebie i wierzajcie mi, nie był to żaden Cymes.

Chyba właśnie wtedy przetrawiałem ostatnią odrobinę Pigułki. Co zaowocowało krótką, lecz potężną falą Powrotu. Do tego poprzedniego Siebie. Który – Wzniosły i Dufny bez Miary – tak mię był zwiódł na Manowce.

Udawszy się nad Rzekę, zabawiłem tam czas jakiś, a zniżające się Słońce z Wodą się jednało, hojnie szafując Sobą i wielgą rozmaitością Barw swych w Magnificencji rozlewie, po którym zapadła przecudowna Cisza.

Dziesiąty grudnia

Blady chłopiec z nieszczęsną grzywką komiksowego księcia i szczenięcym sposobem bycia poczłapał do ściennej szafy w sieni i zarekwirował biały płaszcz taty. A potem turystyczne buty, które pomalował kiedyś białym sprejem. Malowanie na biało wiatrówki było surowo wzbronione. Dostał ją od cioci Chloe. Podczas każdej jej wizyty musiał wyciągać wiatrówkę, żeby ciotka mogła pomendzić, jakie piękne słoje ma kolba.

Zadanie na dziś: pójść nad staw i przeprowadzić inspekcję bobrowej tamy. Aresztowanie było prawie pewne. Przez mieszkańców starego kamiennego muru. Były to nieduże stwory, ale po wyjściu na powierzchnię przybierały niejakie proporcje. I ruszały w pościg. Taką już miały metodologię. Jego zimna krew zbijała je z tropu. Wiedział to. I napawał się tą wiedzą. Obracał się na pięcie, pochylał lufę wiatrówki i intonował:

– Zdajecie sobie sprawę z zastosowań tego ludzkiego urządzenia?

Bum!

Byli to Podziemcy. Czyli Spodni. Łączyła go z nimi dziwna więź. Nieraz całymi dniami nic tylko pielęgnował ich rany. Czasem dla żartu strzelał któremuś z pierzchających prosto w zadek. Trafiony miał odtąd kuśtykać aż po kres swych dni. Czyli może jeszcze przez dziewięć milionów lat.

W bezpiecznym wnętrzu muru postrzelony mówił:

– Patrzcie, co mi zrobił w zadek, chłopaki.

I wszyscy przyglądali się zadkowi Gzeemona, ponuro zerkając po sobie, jakby mówili: Gzeemon rzeczywiście będzie kuśtykał przez dziewięć milionów lat, biedaczysko.

No bo właśnie: Spodni zwykle wyrażali się jak ten facio z *Mary Poppins*.

Co oczywiście nasuwało parę zagadek w sprawie ich ostatecznego pochodzenia: skąd właściwie się wzięli tu, na Ziemi.

Aresztowanie chłopca nastręczało Spodnim wiele trudności. Był przebiegły. No i nie mieścił się w otworze kamiennego muru. Kiedy go związywali, a potem wracali do swoich nor, żeby upichcić specjalny wywar miniaturyzujący, raptem – Trach! – rozrywał zetlały ze starości sznur ruchem z arsenału środków systemu sztuki walki własnego pomysłu – Toi Foi, czyli Zabójczych Przedramion. Po czym kładł u wejścia do pieczary Spodnich nieubłaganie dusicielski głaz, zamykając ich w pułapce.

Potem wyobrażał sobie, jak cierpią w agonii, więc litościwie wracał, żeby głaz odsunąć.

Psiakość! – klął czasem któryś z wnętrza muru. – Dzięki, kierowniku. Godny z pana przeciwnik, bez dwóch zdań.

Niekiedy uciekali się do tortur. Kładli go na wznak, twarzą ku mknącym chmurom, i dręczyli różnymi sposobami, ale w sumie do wytrzymania. Zębów raczej nie ruszali. I całe szczęście, bo nie lubił nawet czyszczenia. Względem tego były z nich zakute pały. Nigdy nie dobierali mu się do ptaszka ani do paznokci. Cierpliwie znosił wszystkie próby, doprowadzając ich do szału tym, że spokojnie robi w śniegu orzełka. Czasem próbowali go dobić (bo przecież nie wiedzieli, że od niepomiętych czasów wysłuchuje takich bzdur z ust pewnych kretynów ze szkolnej ławy), mówiąc: O rany, do głowy by nam nie przyszło, że chłopak może mieć na imię Maria. I wybuchali tym swoim Spodnim rechotem.

Akurat tamtego dnia przeczuwał, że Spodni mogą porwać Suzanne Bledsoe, tę nową w klasie. Przeprowadziła się z Montrealu. Strasznie mu się podobał jej sposób mówienia. Spodnim widać też, więc postanowili pomnożyć przy jej pomocy swoją przerzedzoną liczebność i upiec różne smakołyki, których sami nie potrafili upitrasić.

Gotów do wymarszu, NASA. Niezdarnie się obrócił, żeby wyjść za drzwi.

Zatwierdzam. Mamy twoje współrzędne. Uważaj w terenie, Maria.

Basta, zimno, cholerka.

Termometr z kaczuszką wskazywał minus dwanaście. I to bez poprawki na wiatr. Właśnie dlatego wyjść w teren to była frajda. Coś prawdziwego. W miejscu, gdzie Poole Street zamykało boisko do piłki nożnej, stał zielony nissan. Oby właściciel nie okazał się jakimś zbokiem, którego trzeba będzie przechytrzyć.

Albo Spodnim w ludzkiej postaci.

Jasno, jasno, niebiesko i zimno. Śnieg chrupał, gdy chłopiec przemierzał boisko. Czemu od takiego ziąbu podczas biegu boli głowa? Pewnie od szybkości przezornego wiatropędu.

Ścieżka do lasu miała szerokość jednego człowieka. Spodni chyba rzeczywiście porwał Suzanne Bledsoe. Niech go szlag! I całe plemię jego. Skoro widać było tylko pojedynczy trop, pewnie ją niósł. Wstrętny gbur. Niech się nie waży nieprzyzwoicie jej dotykać, kiedy ją tak niesie. A jeżeli za dużo sobie pozwala, Suzanne na pewno stawia opór z nieposkromioną furią.

To było niepokojące, głęboko niepokojące.

Kiedy już ich dogoni, powie: Słuchaj, Suzanne, wprawdzie nie wiesz, jak mam na imię, bo kiedy tamtym razem kazałaś mi się przesunąć, przez pomyłkę powiedziałaś do mnie „Mart", najmniej jednak muszę ci wyznać, że czuję między nami jakąś więź. Też ją czujesz?

Suzanne miała zdumiewające, piwne oczy. W tej akurat chwili mokre ze strachu i od raptownego naporu rzeczywistości.

Przestań do niej gadać, koleś – rzekł Spodni.

Właśnie, że nie przestanę – odparł chłopiec. – I wiesz co, Suzanne? Nawet jeżeli nie czujesz między nami żadnej więzi, możesz być pewna, że zgładzę tego osobnika i odprowadzę cię do domu. Gdzie ty właściwie mieszkasz? W El Cirro? Przy wieży ciśnień? Jest tam parę niebrzydkich domów.

Owszem – przytaknęła Suzanne. – Mamy też basen. Wpadnij któregoś dnia latem. Spoko, możesz pływać w koszuli. I rzeczywiście łączy nas jakaś więź. Jesteś stanowczo najprzenikliwszym chłopcem w klasie. Nawet w porównaniu z tymi, których znałam w Montrealu, jesteś po prostu miszcz.

Miło słyszeć – powiedział. – Dzięki za dobre słowo. Wiem, że nie jestem najchudszy.

Powiedzieć ci coś o dziewczynach? – spytała Suzanne. – Nas kręci raczej treść niż forma.

Przestaniecie wreszcie? – zapytał Spodni. – Bo już pora wam szykować się na śmierć. Obojgu.

Ktoś tu niewątpliwie powinien szykować się na śmierć – rzekł Maria.

W sumie była to zafajdana sprawa, bo każda próba przyjścia z odsieczą kończyła się porażką. Zeszłego lata leżał tu gdzieś konający szop pracz. Chłopiec chciał go zataszczyć do domu, żeby mama sprowadziła weterynarza. Ale z bliska zwierzak budził grozę. Prawdziwe szopy są większe niż w kreskówkach. A ten wyglądał, jakby mógł ukąsić. Chłopiec pobiegł do domu, żeby chociaż przynieść mu wody. Po powrocie zobaczył, że szop ostatnie podrygi ma już za sobą. Smutny widok. Maria nie radził sobie ze smutkiem. Można nawet zaryzykować twierdzenie, że wykonał w lesie przymiarkę do płaczu.

To tylko dowodzi wielkości twojego serca – rzekła Suzanne.

No, czy ja wiem – odparł skromnie.

Doszedł do starej opony od ciężarówki. Przy której często imprezowali licealiści. Leżały w niej trzy puszki po piwie i skotłowany koc.

Pewnie lubisz imprezować – powiedział zgrywnym tonem Spodni do Suzanne parę chwil wcześniej, kiedy mijali to miejsce.

Nie lubię – odparła Suzanne. – Wolę się bawić. I przytulać.

Eee tam – Spodni na to. – Trąci nudą.

Gdzieś na świecie musi być mężczyzna, który lubi się bawić i przytulać – powiedziała Suzanne.

Wyszedł z lasu i oto roztoczył się przed nim najpiękniejszy ze znanych mu widoków. Staw był zamarzniętą taflą najczystszej bieli. Trochę jakby szwajcarski. Chłopiec miał się z czasem przekonać, czy Szwajcaria rzeczywiście tak wygląda. Kiedy Szwajcarzy urządzą na jego cześć defiladę albo co.

W tym miejscu trop Podziemca skręcił ze ścieżki w bok, jakby Spodni pozwolił sobie na chwilę zadumy, kontemplując staw. Może jednak nie był z gruntu zły. Może podciął mu siły przypływ wyrzutów sumienia w obliczu dzielnego oporu Suzanne, która próbowała się wyrwać, gdy tak ją niósł na barana. Wyglądało na to, że przynajmniej trochę kocha przyrodę.

Potem trop wrócił na ścieżkę, okrążył staw i skręcił ku szczytowi wzgórza Lexow.

Co to za dziwny obiekt? Płaszcz? Na ławce? Tej samej, na której Podziemcy składali ofiary z ludzi?

Płaszcza nie zdążył przysypać śnieg. Wnętrze rękawów jeszcze trochę ciepłe.

Ergo: niedawno porzucony płaszcz Podziemca.

Było to jakieś dziwne wudu. Najbardziej intrygująca zagwozdka, jaką chłopiec w życiu napotkał. A zaliczył ich już parę. Znalazł raz stanik rozpięty na kierownicy motocykla. Albo nietkniętą porcję steku z dodatkami na talerzu za knajpą Fresno. I nie zjadł go. Chociaż ciekła mu ślinka.

Coś się kroiło.

Nagle w połowie zbocza ujrzał mężczyznę.

Łysego i bez płaszcza. Strasznie chudego. Chyba w piżamie. Chudzielec brnął pod górę z żółwią wytrwałością, a z kurtki od piżamy sterczały mu gołe białe ręce jak dwie gołe białe gałęzie sterczące z kurtki od piżamy. Albo z grobu.

Kto w taki dzień porzuca płaszcz? Umysłowo chory, ot co. Facet wyglądał trochę jak psychiczny. Jak gościu z Auschwitz albo smutny, skołowany dziadek.

Tata kiedyś powiedział: Ufaj własnemu rozumowi, Mar. Jak coś śmierdzi gównem, ale ma na wierzchu napis STO LAT i wetkniętą świeczkę, to co to jest?

A czy aby polukrowane? – upewnił się Maria.

Tata zrobił zeza, jak zwykle, gdy nie miał gotowej odpowiedzi.

Co chłopcu podpowiadał własny rozum?

Coś tu nie grało. Człowiek nie mógł przecież obejść się bez płaszcza. Nawet dorosły. Staw pokrywała lodowa tafla. Termometr w kształcie kaczuszki wskazywał minus dwanaście. A jeżeli facet był psychiczny, tym bardziej należało mu pomóc, bo czy Jezus nie powiedział: Błogosławieni ci, co pomagają bezradnym, którzy sami sobie pomóc nie mogą, bo są za bardzo psychiczni, roztrzęsieni, kalecy?

Chłopiec ściągnął płaszcz z ławki.

Ruszył z odsieczą. Nareszcie prawdziwa odsiecz, a przynajmniej coś w tym guście.

Przed dziesięcioma minutami Don Eber przystanął nad stawem, żeby zaczerpnąć tchu.

Był strasznie zmęczony. To ci dopiero. Rany gorzkie. W czasach, kiedy jeszcze brał udział w tropieniu Wielkiej Stopy, robiło się sześć rund wokół stawu, truchtało na wzgórze, poklepywało głaz na szczycie i sprintem zbiegało.

Lepiej się rusz – poradził jeden z dwóch facetów, którzy od rana dyskutowali w jego głowie.

Jeżeli wciąż obstajesz przy tym pomyśle z głazem – powiedział drugi.

Który nadal wydaje nam się trochę przekombinowany.

Jeden facet był chyba tatą, a drugi Kipem Flemishem.

Głupi szachraje. Zamienili się żonami, a potem zostawili te zamienione żony i razem uciekli do Kalifornii. Byli gejami? Czy tylko amatorami odmiany? A może jednym i drugim? Tata i Kip w jego głowie wyznali grzechy i wszyscy trzej zawarli umowę: zgodził się darować im, że może byli gejami i amatorami odmiany, a także to, że go porzucili, przez co musiał sam startować w wyścigach mydelniczek, tylko z mamą u boku. A oni zgodzili się udzielić mu paru rzetelnych, męskich rad.

Chciałby załatwić sprawę miło.

Głosem taty. Tata chyba go raczej popierał.

Miło? – zdziwił się Kip. – *Tak bym tego nie nazwał.*

W powietrzu z furkotem śmignął kardynał.

Nie posiadał się ze zdumienia. Naprawdę. Był przecież młody. Miał pięćdziesiąt trzy lata. Już nigdy nie wygłosi orędzia do narodu na temat współczucia. A spływ czółnem w dół Missisipi? A ten pomysł, żeby zamieszkać w góralskim domku nad cienistym strumieniem z dwiema hipiskami, które w sześćdziesiątym ósmym spotkał w sklepie pamiątkarskim w górach Ozark, kiedy jego ojczym Allen w tych swoich zwariowanych lustrzankach kupił mu torebkę skamielin? Jedna hipiska powiedziała, że wyrośnie z niego niezły towar i żeby wtedy do niej koniecznie zadzwonił. Pochyliły ku sobie płowe głowy i zachichotały na myśl o jego przyszłej towarowości. Ale to się nigdy...

To się jakoś nigdy...

Siostra Val powiedziała: Mierz wysoko, strzelaj śmiało! Zostań drugim JFK. No to postanowił kandydować na gospodarza klasy. Allen kupił mu styropianowy kanotier. Usiedli i ozdobili wstążkę flamastrowymi napisami. WYGRAJ RAZEM Z EBEREM! A z tyłu: FAJOWO! Allen pomógł mu nagrać taśmę z krótką mówką. Gdzieś z nią poszedł i przyniósł trzydzieści kopii „do rozdania".

„Masz dobry przekaz – powiedział. – I mówisz z niesamowitą swadą. Uda ci się".

I rzeczywiście się udało. Wygrał. Allen wydał przyjęcie na cześć zwycięzcy. Z pizzą. Przyszły wszystkie dzieci.

O, Allen.

Najlepszy człowiek na świecie. Chodził z nim pływać. I na zajęcia z kalkomanii. Cierpliwie rozczesywał mu włosy, kiedy Eber wrócił do domu zawszony. Nigdy złego itd., itp.

Ale to się skończyło, kiedy cierpienie się wydało. Wdało. Niech to diabli. Jego słowa coraz bardziej. Koślawe. Jego słowa coraz bardziej oddalały się od sensu, który miał niedzielę im nadać.

Nadzieję.

Kiedy wdało się cierpienie, Allen szalał. Mówił rzeczy, jakich nikt nie powinien mówić. Do mamy, do Ebera, do woziwody. Z nieśmiałego faceta, który zawsze kładł chłopcu dłoń na plecach dla dodania otuchy, stał się skurczoną bladą postacią w łóżku i krzyczał DUPA!

Ale z jakimś dziwacznie nowoangielskim akcentem, więc wychodziło TUBA!

Kiedy pierwszy raz tak krzyknął, przez jedną zabawną chwilę Eber i mama spoglądali po sobie, niepewni, które z nich ma być tą jakąś TUBĄ. Lecz Allen gwoli jasności skorygował: TUBY!

No i wyjaśniło się, że ma na myśli ich oboje. Co za ulga.

Pękli ze śmiechu.

Jezu, jak długo już tam stał? A tymczasem dnia umywało.

Ubywało.

Już naprawdę nie wiedziałam, co robić. A on tak to uprościł.

Wziął wszystko na siebie.

Też mi nowina.

No właśnie.

Teraz Jodi i Tommy.

Cześć, dzieci.

Dziś ważny dzień.

Znaczy, jasne, że fajnie byłoby móc się pożegnać, jak należy.

Ale za jaką cenę?

No właśnie. I widzisz? On to wiedział.

Był ojcem. Postąpił, jak ojcu przystoi.

Bo ojciec zdejmuje brzemię z tych, których kocha.

Oszczędza im ostatnich bolesnych widoków, które mogliby zachować w pamięci do końca życia.

Niebawem Allen przemienił się w TO. I nikt nie zamierzał mieć nikomu za złe, że omija TO szerokim łukiem. Czasem on i mama chronili się w kuchni. Byle nie ściągnąć na siebie gniewu TEGO. I nawet samo TO rozumiało, jaki jest układ. Przynosiło mu się szklankę wody, stawiało ją i bardzo uprzejmie pytało: Coś jeszcze, Allen? I widać było, że TO myśli: Przez tyle lat byłem dla was taki dobry, a teraz jestem już tylko TYM? Czasem z wnętrza prześwitywał ten łagodny Allen, który mówił samym spojrzeniem: Słuchaj, idź stąd, proszę cię, idź, tak bardzo się hamuję, żeby ci nie nawymyślać od TUB!

Chudy jak szczapa, ze sterczącymi żebrami.

Z przyklejonym do fiuta cewnikiem.

Zalatywało od niego gównem.

Allen to Allen, a ty to ty.

Rzekła Molly.

A doktor Spivey nic nie umiał powiedzieć. Nie chciał. Pochłonięty rysowaniem stokrotki na karteluszku. W końcu spytał: Mam być szczery? W miarę, jak takie coś rośnie, niektórzy pacjenci coraz dziwniej się zachowują. Ale nie zawsze okropnie. Jednemu z moich wciąż tylko chciało się sprite'a.

A Eber pomyślał: Czy pan, drogi doktorze/zbawco/lino ratunkowa, powiedział przed chwilą „chciało mu się sprite'a"?

W ten sposób cię unieszkodliwiali. Myślałeś, może będzie mi się tylko chciało sprite'a. I zanim się połapałeś, już byłeś TYM, krzyczałeś TUBA!, srałeś w łóżko i groziłeś pięścią ludziom, którzy krzątali się, żeby cię umyć.

Co to, to nie.

Nie ma mowy, mili państwo.

W środę znowu spadł z łóżka z podnoszonym wezgłowiem. I kiedy leżał po ciemku na podłodze, olśniło go: mógłbym im tego oszczędzić.

Nam? Czy sobie?

Idź precz ode mnie.

Idź precz ode mnie, kochanie.

Powiew wiatru zesłał skądś z góry kilka podłużnych obłoczków śniegu. Pięknie. Dlaczego tak nas stworzono, że zachwycamy się tyloma codziennymi zdarzeniami?

Zdjął płaszcz.

Dobry Boże.

Zdjął czapkę, rękawiczki i wepchnął je do rękawa płaszcza, a płaszcz zostawił na ławce.

Dzięki temu się dowiedzą. Znajdą auto, podejdą ścieżką, znajdą płaszcz.

To był cud. Że doszedł aż tak daleko. No cóż, zawsze był silny. Kiedyś przebiegł półmaraton ze złamaną stopą. Po wasektomii bez trudu posprzątał w garażu.

Czekał w łóżku z podnoszonym wezgłowiem, aż Molly pójdzie do apteki. To było najtrudniejsze. Zwyczajnie zawołać „do widzenia".

Skręcił ku niej myślami, ale zaraz modlitwą ściągnął je z powrotem: Pozwól, niech mi się uda. Nie dopuść, Panie, żebym to spierdolił. Nie pozwól ściągnąć hańby. Nie jad im tęgo sfaszerować.

Nie daj. Nie daj mi tego sfaszerować.

Sfuszer.

Sfuszerować.

Szacowany czas doścignięcia Podziemca i dostarczenia mu płaszcza? Około dziewięciu minut. Sześć –

przejście ścieżką wokół stawu. I jeszcze trzy na to, żeby frunąć w górę po zboczu jak doręczycielski upiór lub anioł miłosierdzia ze skromnym darem, czyli właśnie płaszczem.

To tylko szacunkowa prognoza, NASA. W znacznym stopniu wyssana z palca.

Wiemy, Mario. Zdążyliśmy już się dokładnie przekonać, jak bardzo lekceważysz pracę.

Choćby wtedy, kiedy pierdnąłeś na księżycu.

Albo jak podpuściłeś Mela, żeby powiedział: „Panie prezydencie, cóż to była za rozkoszna niespodzianka, odkryć krążącą wokół Urana asteroidę".

Ta akurat prognoza była szczególnie wątpliwa. Podziemiec okazał się zdumiewająco żwawy. A z Marii nie był taki znowu szybki Bill. Odznaczał się pewną tuszą. Tata przepowiadał, że ona wkrótce triumfalnie okrzepnie, ustępując miejsca tężyźnie środkowego obrońcy. Oby. Na razie Maria miał tylko obwisłe cycuszki.

Pospiesz się, Mario – powiedziała Suzanne. – Tak mi żal tego biednego dziadzia.

To głupek – odparł Maria, bo Suzanne była za młoda, aby rozumieć, że głupiec zawsze musi narobić kłopotu mniej głupim ludziom.

Niewiele czasu mu zostało – dodała dziewczyna, już bliska histerii.

No, no – powiedział Maria kojącym tonem.

Strasznie się boję – wyznała Suzanne.

W sumie i tak ma szczęście, że człowiek mojego pokroju taszczy jego płaszcz na to dupiaste wzgórze, o wiele za strome, żeby ta wspinaczka mogła być dla mnie wymarzonym zajęciem – rzekł Maria.

Chyba właśnie na tym polega bohaterstwo – stwierdziła Suzanne.

Chyba – przytaknął Maria.

Nie chciałabym znowu wyjść na bezczelną – powiedziała Suzanne. – Ale on tak jakby się oddalał.

Co proponujesz? – spytał Maria.

Z całym uszanowaniem – rzekła Suzanne – i ponieważ wiem, że według ciebie jesteśmy równi, chociaż różni, to znaczy ja jestem od zadań umysłowych, specjalnych wynalazków i tym podobnych...?

Tak, tak, mów dalej – rzekł Maria.

No, rozważając to zadanie w kategoriach najprostszej geometrii...

Widział, do czego ona zmierza. I miała całkowitą rację. Nic dziwnego, że ją kochał. Musiał pójść na skróty przez staw, zmniejszając dookolny kąt, ergo urwać parę cennych sekund z przewidywanego czasu dościgu.

Czekaj – powiedziała Suzanne. – Czy to niebezpieczne?

Ani trochę – odparł. – Robiłem to mnóstwo razy.

Błagam cię, bądź ostrożny – poprosiła.

No, jeden raz – przyznał.

Masz tyle zimnej krwi – rzekła z wahaniem.

Właściwie to ani razu – powiedział półgłosem, nie chcąc jej niepokoić.

Krewkie jest męstwo twe – pochwaliła.

W gruncie rzeczy fajnie szło się po wodzie. Latem pływały w niej czółna. Gdyby mama go teraz widziała, dostałaby białej gorączki. Traktowała go, jakby był z porcelany. Bo w niemowlęctwie przeszedł rzekomo kilka operacji. Wystarczyło, że sięgnął po zszywacz, zaraz włączał jej się alarm.

Ale była dobra z kościami. Rzetelna doradczyni i niezachwianie przewodnia dłoń. Miała bujne, długie włosy, srebrzyste, wiecznie rozwiane, i ochrypły głos, chociaż nie paliła, a nawet była weganką. Nigdy nie zadawała się z żadnym motocyklistą, ale niektórzy kretyni ze szkolnej ławy twierdzili, że wygląda jak motocyklówa.

Właściwie dosyć lubił mamę.

Przebył już mniej więcej trzy czwarte stawu, czyli koło sześćdziesięciu procent.

Od brzegu dzieliła go szarawa plama. Latem w tym miejscu wpadał do stawu strumień. Wyglądała ciut wątpliwie. Na jej skraju Maria walnął kolbą strzelby w lód. Twardy jak skała.

Ruszył przed siebie. Lód troszkę się uginał. Pod spodem pewnie było płytko. Taką przynajmniej miał Maria nadzieję. Jejku.

Jak sobie radzisz? – spytała Suzanne z drżeniem w głosie.

Mógłbym lepiej – odparł.

Może zawróć? – podsunęła.

Ale czy ogarniający go strach nie był tym właśnie uczuciem, któremu wszyscy bohaterowie muszą za młodu stawiać czoło? Czy ludzie naprawdę mężni nie odznaczają się przede wszystkim umiejętnością przezwyciężania strachu?

Nie było mowy o odwrocie.

A może mógł zawrócić? Może jednak mógł. Właściwie nawet powinien.

Lód się załamał i chłopiec runął w dół.

W *Spokornieniu na stepie* ani słowem nie wspomniano o mdłościach.

Gdy na dnie szczeliny lodowej z wolna zapadłem w sen, ogarnęło mnie błogie uczucie. Żadnego strachu ani niewygody, tylko mglisty smutek na myśl o wszystkim, czego nie zdążyłem zrobić. To jest śmierć? – zadałem sobie pytanie. – Przecież to zupełne nic.

Autorze, którego nazwiska nie pomnę: proszę na słówko.

D-bil.

Dygot był obłędny. Istne trzęsienie ziemi. Głowa telepała się na szyi. Przystanął, żeby trochę rzygnąć w śnieg: białożółta plama na białobłękitnym tle.

To było przerażające. Teraz już przerażające.

Przy każdym korku odnosił drobne zwycięstwo. Należało o tym pamiętać. Z każdym korkiem coraz dalej był uciec. Z każdym krokiem coraz dalej był ojciec. A raczył ojczym. Raczej ojczym. Oj, czym sobie na to zasłyszał. Zasłużył. Na to z brudem wywarczane łzyksięstwo.

Poczuł w głębi krtani, że chce to powiedzieć, jak należy.

Z trudem wywalczone zwycięstwo. Z trudem wywalczone zwycięstwo.

O, Allen.

Nawet kiedy już byłeś TYM, dla mnie wciąż pozostałeś Allenem.

Wiedz to, proszę.

Padasz – powiedział tata.

Przez ściśle określony czas zastanawiał się, gdzie wyląduje i jak bardzo go to zaboli. A potem dostał drzewem w bebech. Nagle leżał w pozycji płodu, owinięty wokół pnia.

Krucafiut.

Aj, aj. To już było nie do zniesienia. Nie płakał po żadnej operacji ani podczas chemii, ale teraz zbierało mu się na płacz. To było niesprawiedliwe. Podobno każdego czekało, lecz teraz przydarzało się właśnie jemu. Od dawna liczył na jakąś szczególną dyspensę. Nic z tego. Spotykał się z upartą odmową ze strony czegoś/kogoś większego niż on sam. Mówiono ci, że wielkie coś/ktoś kocha cię nade wszystko, ale w końcu się przekonałeś, że wcale nie. Wielkie ktoś/coś było neutralne. Obojętne. Niewinnie się poruszając, miażdżyło ludzi.

Przed laty on i Molly obejrzeli w *Świetlistym ciele* plasterek mózgu, skalany brązową plamką wielkości pięciocentówki. Wystarczyła ta brązowa plamka, żeby facet umarł. Miał pewnie jakieś nadzieje i marzenia, szafę pełną spodni i tak dalej, hołubione wspomnienia z dzieciństwa: dajmy na to, stado rybek koi w cieniu wierzb w parku Gage i jak babcia grzebała w swojej pachnącej gumą do żucia torebce, szukając chusteczki do nosa – tego rodzaju detale. Gdyby nie ta brązowa plamka, mógłby być jednym z ludzi, którzy właśnie szli do atrium na lunch. Ale nie. Wyzionął ducha i już gdzieś gnił z wymóżdżoną czaszką.

Patrząc z góry na ten plasterek mózgu, Eber miał poczucie wyższości. Bidula. Że też właśnie jego to spotkało.

On i Molly uciekli do atrium i jedząc gorące bułeczki jęczmienne, patrzyli, jak wiewiórka dobiera się do plastikowego kubka.

Owinięty jak płód wokół drzewa Eber musnął palcem bliznę na głowie. Spróbował usiąść. Bez szans. Spróbował usiąść, trzymając się pnia. Dłoń nie chciała się zamknąć. Obejmując drzewo oburącz i przyciskając nadgarstek do nadgarstka, podciągnął się, a potem oparł plecami o pień.

No i jak?

Nieźle.

W sumie dobrze.

Może to już meta. Może nie miał szans wyżej dojść. Zamierzał wprawdzie usiąść po turecku, oparty plecami o głaz na szczycie wzgórza, ale właściwie co za różnica?

Musiał już tylko wytrwać w miejscu. Uziemić się siłą woli, obracając w głowie te same myśli, dzięki którym zdołał się dźwignąć z łóżka z podnoszonym wezgłowiem i dobrnąć do samochodu, a potem przez boisko do lasu i dalej. MollyTommyJodi kulili się w kuchni, przepełnieni litością/odrazą, MollyTommyJodi wzdrygali się, kiedy powiedział coś okrutnego, Tommy brał jego chudy tors w ramiona i podnosił, żeby MollyJodi mogła sięgnąć pod spód i wymyć...

Dokonałoby się. Zapobiegłby wszelkim dalszym upodleniom. Wszystkie jego obawy przed nadchodzącymi miesiącami biłyby odtąd blachę.

Byłyby błahe.

I już. Tak? Jeszcze nie. Ale wkrótce. Za godzinę? Czterdzieści minut? Robił to? Naprawdę? Owszem. Czy aby? Dałby radę wrócić do auta, nawet gdyby się rozmyślił? Raczej nie. Tu siedział. Tu tkwił. Niebywałą możliwość położenia wszystkiemu kresu z godnością miał po prostu w ręku.

Musiał tylko wytrwać w miejscu.

Oto składam broń na wieki, powiedział wódz Józef.

Skup się na pięknie stawu, pięknie lasu, na tym pięknie, do którego właśnie wracasz, na pięknie, które jest wszędzie, jak okiem...

O, krucaszajs.

Na litość boską.

Po lodzie szedł jakiś chłopiec.

Ubrany na biało grubasek. Ze strzelbą. Niósł płaszcz Ebera.

Ty mały wypierdku, odłóż płaszcz, bierz dupę w troki i zjeżdżaj do domu, nie wtrącaj się...

Cholera. Jasna cholera.

Chłopiec postukał kolbą w lód.

Nie wolno dopuścić, żeby jakiś dzieciak cię znalazł. Mogłoby to zostawić bliznę. Chociaż dzieci raz po raz znajdują cudaczne rzeczy. On sam znalazł kiedyś zdjęcie taty z panią Flemish, całkiem gołych. To też było cudaczne. Oczywiście nie aż tak, jak siedzący po turecku z grymasem na twarzy...

Chłopiec pływał.

Pływanie było zabronione. Na tablicy wyraźnie napisano: ZAKAZ PŁYWANIA.

Chłopiec nie umiał pływać. Na dole odchodziła ostra szamotanina. Chłopiec miotał się, tworząc raptownie rosnącą, czarną sadzawkę. Każdym szarpnięciem odrobinę poszerzał granice czarnej...

Ruszył w dół, nim zdążył się połapać, że wstał. Chłopiec w stawie, chłopiec w stawie – huczało mu w głowie, gdy tak sunął drobnym kroczkiem. Od drzewa do drzewa. Stojąc i dysząc, poznawało się drzewo całkiem dokładnie. To akurat miało trzy sęki: oko, oko, nos. A tamto najpierw było jednym drzewem, a potem się rozdwoiło.

Nagle nie był już wyłącznie tym umierającym, który nocami budził się w łóżku z podnoszonym wezgłowiem, myśląc: Spraw, żeby to nie była prawda, spraw, żeby to nie była prawda, bo poniekąd znów stał się facetem, który dawniej wkładał banany do zamrażarki, a potem łamał je na blacie i polewał czekoladą, a kiedyś stał pod oknem szkolnej klasy podczas oberwania chmury i patrzył, jak Jodi sobie radzi z tym małym zasranym rudzielcem, co nie dawał jej szans przy katedrze, a na studiach malował pędzlem karmniki dla ptaków i w błazeńskiej czapce sprzedawał je podczas weekendów w Boulder, odstawiając żonglerski numer, któ...

Znów zaczął spadać, ale złapał się, zastygł skulony, rzucił się naprzód i runął plackiem na twarz, uderzając podbródkiem o korzeń.

Śmiechu warte.

Trudno było się nie śmiać.

Wstał. Sumiennie wstał. Z prawą dłonią jak krwawa rękawica. A to niefart, trudna rada. Kiedyś grali w futbol i wypadł mu ząb. Eddie Blandik znalazł go przed przerwą. Eber zabrał ząb Eddiemu i z rozmachem cisnął precz. To też był on.

Oto przekręt. Już niedaleko. Zakręt.

Co robić? Jak już tam dotrze? Wyciągnąć chłopca ze stawu. Rozruszać. Przegonić forsownym marszem przez las i boisko do któregoś domu na Poole. Jeżeli nikogo nie zastanie, wrzucić chłopca do nissana, podkręcić ogrzewanie i jechać do – Matki Boskiej Bolesciwej? Na pogotowie? Którędy najprędzej na pogotowie?

Za pięćdziesiąt metrów początek szlaku.

Za dwadzieścia metrów początek szlaku.

Dzięki ci, Boże, który dałeś mi siłę.

W stawie był wyłącznie zwierzomyślą – żadnych słów, żadnego jestestwa, tylko ślepa panika. Postanowił naprawdę się postarać. Chwycił krawędź. Ułamała się. Poszedł na dno. Uderzył o szlam i odbił się w górę. Chwycił krawędź. Ułamała się. Znów poszedł na dno. Niby powinno być łatwo się wydostać. Ale nie dawał rady. Całkiem jak w wesołym miasteczku. Niby powinno być łatwo strącić z półki trzy pluszowe pieski, wypchane trocinami. I rzeczywiście było łatwo. Ale nie tyloma piłkami, ile tam dawali.

Chciał się dostać na brzeg. Wiedział, że to w sam raz miejsce dla niego. Ale staw uparcie odmawiał.

A potem powiedział: może jednak.

Krawędź lodu znów się ułamała, lecz Maria podciągnął się przy tym troszenieczkę bliżej brzegu, więc gdy znów poszedł na dno, szybciej dotknął stopami szlamu. Brzeg był pochyły. Nagle zaświtała nadzieja.

Ześwirował. Dostał totalnej szajby. Po chwili stał na twardym gruncie, ociekając wodą, a w mankiecie rękawa tkwił mu podobny do maleńkiej szybki kawałek lodu.

Trapezoidalny, pomyślał.

Miał wrażenie, że staw wcale nie jest skończony i kolisty za jego plecami, tylko nieskończony i zewsząd go otacza.

Poczuł, że musi się położyć i znieruchomieć, bo inaczej to, co przed chwilą próbowało go zabić, spróbuje znowu. Czaiło się nie tylko w stawie, lecz także na brzegu, w każdym detalu przyrody, i nie istniał żaden Maria, żadna Suzanne ani mama, nic a nic oprócz płaczu jakiegoś chłopczyka, który darł się jak przerażony bobas.

Eber wybiegł kulawym truchtem z lasu i zobaczył: nie ma chłopca. Tylko czarna woda. I zielony płaszcz. Jego własny. Jego dawny płaszcz leżał na lodzie. Woda już się uspokajała.

O kurwa.

Twoja wina.

Chłopiec przyszedł tylko dlatego, że…

Na plaży obok przewróconej łódki ktoś bez pojęcia. Leżał twarzą do ziemi. Podczas pracy. Wylegiwał się podczas pracy. Musiał pewnie tam już leżeć, kiedy ten biedny chłopiec…

Czekaj, cofnij.

To był chłopiec. Dzięki Bogu. Leżał twarzą do ziemi jak trup na fotografii Brady'ego. Nogami w stawie. Jakby zabrakło mu pary, nim się wyczołgał. Przemókł do nitki, biały płaszcz zszarzał od wody.

Eber wyciągnął chłopca. Musiał cztery razy szarpnąć. Nie miał siły przewrócić go na wznak, ale obrócił mu głowę i przynajmniej odsłonił usta, które tkwiły dotąd w śniegu.

Chłopiec był w opałach.

Przemoczony przy minus dwunastu.

Koniec świata.

Eber przyklęknął na jedno kolano i z ojcowską powagą oznajmił chłopcu, że musi wstać, musi się ruszyć, bo inaczej może stracić nogi, może umrzeć.

Chłopiec spojrzał na Ebera, zamrugał i ani drgnął.

Eber złapał chłopca za płaszcz, przeturlał na plecy i bez ceregieli posadził. Mały tak się trząsł, że w porównaniu z jego drgawkami dygot Ebera to było zupełne nic. Chłopiec dygotał, jakby trzymał młot pneumatyczny. Należało go rozgrzać. Ale jak? Objąć, przykryć sobą? To by było jak dwie porcje lodów, jedna na drugiej.

Przypomniał sobie o swoim płaszczu, który leżał na lodzie tuż przy krawędzi czarnej wody.

Brrr.

Znaleźć gałąź. Nigdzie ani patyka. Gdzie, u licha, podziały się wszystkie porządne spadłe gałęzie, akurat kiedy człowiek...

Dobrze, dobrze, obejdzie się bez gałęzi.

Przeszedł kilkanaście metrów brzegiem i zapuścił się na lód, najpierw szerokim łukiem po twardym, a potem skręt w stronę brzegu i z wolna ku czarnej wodzie. Trzęsły mu się kolana. Czemu? Bał się wpaść. Ha. Dureń. Pozer. Jeszcze pięć metrów do płaszcza. Nogi odmawiały posłuszeństwa. Wszczynały bunt i czyniły wstręty.

Panie doktorze, moje nogi czynią wstręt.

Mnie pan to mówi.

Podchodził stopkami. Jeszcze trzy metry do płaszcza. Uklęknął i podszedł kawałek na kolanach. Położył się na brzuchu. Wyciągnął rękę.

Podczołgał się na brzuchu.

Jeszcze ciut.

I jeszcze ciut.

Chwycił dwoma palcami samiutki rożek. Przyciągnął płaszcz i odczołgał się do tyłu, jakby płynął wsteczną żabką, uklęknął, wstał, cofnął się parę kroków i znów był pięć metrów od wody, bezpieczny.

A potem było jak przed laty, kiedy szykowało się Tommy'ego i Jodi do snu, a oni już padali ze zmęczenia. Mówiło się „ręka" i dziecko ją podnosiło. Mówiło się „druga", a ono podnosiło drugą. Po zdjęciu płaszcza Eber stwierdził, że koszula chłopca lodowacieje. Ściągnął ją. Biedny mały. Człowiek to tylko trochę mięsa na rusztowaniu. Malec nie miał szans długo wyżyć w taki mróz. Eber zdjął kurtkę od piżamy i ubrał w nią chłopca, po czym wsunął jego rękę w rękaw płaszcza. Znalazł w nim swoją czapkę i rękawiczki. Włożył je chłopcu na głowę i dłonie, a potem zapiął płaszcz na suwak.

Spodnie chłopca zamarzły na kość. Jego buty stężały w lodowe posągi butów.

Trzeba było wszystko zrobić porządnie. Eber usiadł na łódce, zdjął buty i skarpety, ściągnął spodnie od piżamy, posadził chłopca na łódce, ukląkł przed nim i zdjął mu buty. Zmiękczył jego spodnie, lekko je poklepując, i wkrótce zdołał częściowo oswobodzić z nich jedną nogę. Rozbierał chłopaka przy dwunastostopniowym mrozie. Może to był właśnie najgorszy pomysł. Chłopiec mógł tego nie przeżyć. Eber nie wiedział. Nie wiedział, i już. Z rozpaczą klepnął spodnie jeszcze parę razy. I wreszcie chłopiec z nich wyszedł.

Eber ubrał go w portki od piżamy, a potem włożył mu skarpety i w końcu buty.

Chłopiec stał w ubraniu Ebera, chwiejąc się z zamkniętymi oczami.

A teraz pójdziemy, dobrze? – spytał Eber.

Nic.

Eber dla zachęty klepnął chłopca po ramionach. Jak na meczu futbolowym.

Zaprowadzimy cię do domu – powiedział. – Mieszkasz gdzieś niedaleko?

Nic.

Dał mocniejszego klapsa.

Chłopiec wytrzeszczył na niego oczy, oniemiały ze zdumienia.

Klaps!

Mały ruszył naprzód.

Klaps-klaps.

Jakby uciekał.

Eber pędził chłopca przed sobą. Jak pastuch krowę. Z początku wyglądało na to, że małego gna wyłącznie strach przed klapsami, potem jednak dała o sobie znać stara, dobra panika, więc ruszył biegiem. Po chwili Eber przestał za nim nadążać.

Chłopiec dobiegł do ławki. I do początku szlaku.

Zuch, leć do domu.

Chłopiec znikł w lesie.

Eber otrzeźwiał.

O rany. Ojej.

Nie wiedział dotąd, co to zimno. Ani co to zmęczenie.

Stał w samych slipach na śniegu obok przewróconej łódki.

Dokuśtykał do niej i usiadł w śniegu.

Maria biegł.

Minął ławkę i początek szlaku, po czym starą znajomą ścieżką zapuścił się w las.

Co, do jasnej ciasnej? Do jasnej ciasnej, co to było przed chwilą? Wpadł do stawu? Dżinsy zamarzły mu na kość? Przestały być niebieskie. Zbielały. Spojrzał w dół, żeby sprawdzić, czy wciąż ma na sobie białe dżinsy.

Był w spodniach od piżamy, których nogawki tonęły w jakichś ogromoidalnych buciorach, więc spodnie wyglądały jak zdjęte z klauna.

Czyżby przed chwilą płakał?

Moim zdaniem płacz jest zdrowy – rzekła Suzanne. – Dowodzi, że masz dostęp do własnych uczuć.

Brrr. Dosyć tego. Co za głupota, gadać we własnej głowie z dziewczyną, która w rzeczywistości powiedziała raz na człowieka „Mart".

Psiakostka.

Strasznie zmęczony.

Oto pieniek.

Usiadł. Fajnie było odpocząć. Nie groziła mu utrata nóg. Nawet go nie bolały. Wcale ich nie czuł. Nie zamierzał umierać. Nie przewidywał umierania w tak młodym wieku. Żeby lepiej wypocząć, położył się. Niebo było błękitne. Sosny się kołysały. Nie wszystkie z tą samą amplitudą. Podniósł urękawiczoną dłoń i patrzył, jak drży.

Mógł na chwilę zamknąć oczy. Czasem człowiek miewał ochotę już się wypisać. Dopiero wtedy wszyscy by zobaczyli. Zobaczyliby, że niefajnie jest dokuczać. Przez to całe dokuczanie jego dni bywały do niezniesienia. Czuł nieraz, że nie zniesie już ani jednego lunchu, pokornie jedzonego na zwiniętej macie zapaśniczej w kącie stołówki obok pękniętych poręczy do gimnastyki. Wcale nie musiał tam siedzieć. Ale wolał. Kiedy siadał gdzie indziej, było ryzyko, że ktoś mu przygada. I na resztę dnia da do myślenia. Czasem przygadywano mu a propos rozgardiaszu u niego w domu. Dzięki Bryce'owi, który raz do niego zajrzał. Innym razem nabijano się z jego sposobu mówienia. Albo z maminych gaf. A mama, trzeba przyznać, była klasyczną laską z lat osiemdziesiątych.

Mama.

Nie lubił, kiedy się z niej nabijali, żeby mu dokuczyć. Nie miała pojęcia o jego niskich notowaniach w szkole. Widziała w nim raczej brylant bez skazy, złotego chłopca.

Wykonał raz potajemne rendez-vous, nagrywając jej rozmowy telefoniczne – ot tak, tytułem rekonesansu. Większość była nudna, przyziemna i wcale nie o nim.

Prócz tej z Liz, maminą koleżanką.

Nigdy nawet mi się nie śniło, że mogłabym kogoś aż tak kochać – powiedziała mama. – Boję się tylko, że mogę do niego nie dorosnąć, wiesz? Jest taki dobry, taki wdzięczny. To dziecko zasługuje... należy mu się wszystko, co najlepsze. Lepsza szkoła, na którą nas nie stać, jakieś podróże, na przykład za granicę, ale to też, hmm, przekracza nasze możliwości finansowe. Po prostu nie chcę go zawieść, wiesz? Tylko na tym mi w życiu zależy, wiesz? Liz? U kresu chciałabym poczuć, że dobrze się obeszłam z tym wspaniałym małym jegomościem.

W tym momencie Liz chyba włączyła odkurzacz.

Wspaniały mały jegomość.

Pewnie powinien już się zbierać.

Wspaniały Mały Jegomość to było jakby jego indiańskie imię.

Dźwignął się na nogi i podkasawszy obszerne ubranie niby krępujący ruchy tren królewski, ruszył w stronę domu.

Oto opona od ciężarówki, oto miejsce, w którym szlak na chwilę się rozszerzał, i to, gdzie korony drzew krzyżowały się w górze, jakby wyciągały do siebie ręce. „Plecione sklepienie", mówiła na to mama.

Oto boisko do nogi. Po drugiej stronie boiska jego dom stał jak wielkie, przemiłe zwierzę. Coś niesamowitego. Udało mu się. Wpadł do stawu, a mimo to uszedł z życiem, żeby opowiedzieć o swojej przygodzie. Owszem, trochę sobie popłakał, ale potem zbył śmiechem tę chwilę słabości, naturalnej u śmiertelnika, i ruszył ku domowi, krzywo uśmiechnięty, skorzystawszy, co prawda, z jakże cennej pomocy pewnego leciwego...

Wstrząsnął się na wspomnienie starca. Co, do jasnej ciasnej? Przemknęła mu przelotna wizja staruszka: stał w samych slipach, opuszczony i zsiniały jak jeniec wojenny, którego zostawiono przy parkanie z drutu kolczastego, bo na ciężarówce zabrakło miejsca.

Albo smutny, okaleczony bocian, żegnający swoje młode.

Nawalił. Zostawił starca samego. Nawet o nim nie pomyślał.

Psiakość.

Zachował się jak śmierdzący tchórz.

Musiał zawrócić. I to natychmiast. Pomóc starcowi przykuśtykać. Ale był strasznie zmęczony. Mógł nie dać rady. Dziadkowi pewnie nic się nie stanie. Pewnie ma jakiś swój dziadkowy plan.

Ale swoją drogą nawalił. Nie mógł sobie tego darować. Sumienie podpowiadało mu, że może to naprawić tylko w jeden sposób: wrócić, żeby uratować sytuację. Tylko że ciało mówiło zupełnie co innego: to za daleko, a ty jesteś mały, zawołaj mamę, już ona będzie wiedziała, co zrobić.

Stał skamieniały na skraju boiska jak strach na wróble w workowatym, obwisłym ubraniu.

Eber siedział oklapnięty, oparty o łódkę.

Ależ pogoda się zmieniła. W bezdrzewnej części parku ludzie chodzili z parasolkami i różnymi takimi. Była karuzela, orkiestra i altana. Ludzie smażyli potrawy na grzbietach niektórych koni z karuzeli. A na innych koniach jechały dzieci. Skąd wiedziały? Które konie gorące? Śnieg jeszcze leżał, ale nie mógł długo przetrwać w tym skarze.

Skwarze.

Jeżeli zamkniesz oczy, to będzie koniec. Zdajesz sobie chyba sprawę?

Boki zrywać.

Allen.

Dokładnie jego głos. Po tylu latach.

Gdzie on w ogóle był? Nad stawem. Tyle razy przychodził tam z dziećmi. Powinien już iść. Żegnaj, stawie. Ale zaraz, zaraz. Nie bardzo mógł wstać. No i nie wolno przecież zostawić dwojga maluchów bez opieki. W dodatku nad samą wodą. Mieli cztery i sześć lat. Na miłość boską. Co mu strzeliło do głowy? Zostawić dwoje słodziaków nad stawem. Dzieci były grzeczne, więc poczekałyby, ale czy z nudów nie poszłyby w końcu pływać? Bez kamizelek ratunkowych? Nie, nie, nie. Zemdliło go na samą myśl. Musiał zostać. Biedne dzieci. Biedne, porzucone...

Czekaj, cofnij.

Jego dzieci świetnie pływały.

Jego dzieciom nigdy ani przez chwilę nie groziło porzucenie.

Jego dzieci były dorosłe.

Tom miał trzydzieści lat. Wysoki przystojniak. Zachłannie gromadził wiedzę. Lecz nawet gdy mu się zdawało, że coś wie (o walkach latawców albo hodowli królików), wkrótce okazywało się, że jest wprawdzie uroczym, przemiłym młodzieńcem, ale na temat walk latawców/hodowli królików wie nie więcej, niż byle kto potrafi wyczytać w dziesięć minut z internetu. Nie żeby nie był bystry. Owszem, był. Cholernie szybko się uczył. O, Tom, Tommy, Tommikins! Jakież ten chłopak miał serce! Zapracowywał się. Bo chciał zasłużyć na miłość taty. O, synku, miałeś ją i masz, Tom, Tommy, nawet teraz o tobie myślę, bardzo jestem tobą zaprzątnięty.

A Jodi, Jodi była aż w Santa Fe. Obiecała wziąć wolne i przylecieć, jeżeli zajdzie potrzeba. Ale nie było potrzeby. Nie chciał się narzucać. Dzieci miały własne życie. Jodi-Jode. Piegowata buzia. Teraz w ciąży. Bez męża. Nawet bez amanta. Głupi Lars. Co za facet rzuca w ten sposób piękną dziewczynę? Taką kochaną. Dopiero zaczyna lepiej sobie radzić w pracy. Nie można wziąć wolnych dni, jeżeli dopiero niedawno się zaczęło...

Kiedy tak w wyobraźni rekonstruował dzieci, znów stawały się dla niego rzeczywiste. Co zresztą... wolał zanadto się w to nie zagnębiać. Jodi miała urodzić dziecko. Zagłębiać. Mógłby pożyć chociaż tyle, żeby je zobaczyć. Wziąć na ręce. Zasmucało go to, owszem. Musiał się zdobyć na poświęcenie. Wyjaśnił w liście. A może nie? Nie. Nie zostawił listu. Nie mógł. Z konkretnego powodu. Czy bez? Był prawie pewien, że istniał jakiś...

Polisa. Nie można było zdradzić, że zrobił to celowo.

Powiało paniką.

Odrobiną paniki.

Kończył z sobą. I w to kończenie wciągnął chłopca. Który właśnie brnął przez las, kompletnie wyziębiony. Kończył ze sobą na dwa tygodnie przed Gwiazdką. Ulubionym świętem Molly. A ona miała przecież wadliwą zastawkę, łatwo panikowała, więc ta sprawa mogła…

To nie było… to nie był on. Nie było do niego podobne. Nigdy by tak nie postąpił. Ale – właśnie to zrobił. Robił. Był w trakcie. Jeśli nie zacznie się ruszać, rzecz… rzecz się dokona. Stanie.

Dziś jeszcze będziesz ze mną w królestwie oj…

Musiał walczyć.

Ale powieki ciągle mu opadały.

Próbował posłać Molly parę ostatnich myśli. Wybacz, kochanie. W życiu niczego tak nie spierdoliłem. Zapomnij tę część. Zapomnij, że tak zgończyłem. Znasz mnie. Wiesz, że nie chciałem.

Był u siebie w domu. Nie był u siebie w domu. Zdawał sobie z tego sprawę. Ale widział każdy detal. Puste łóżko z podnoszonym wezgłowiem, studyjne zdjęcie, na którym OnMollyTommyJodi stali upozowani przy atrapie płotu z rodeo. Szafeczka nocna. Jego leki w pudełku z przegródkami. Dzwonek, którym wzywał Molly. Co za pomysł. Co za okrutny pomysł. Nagle dostrzegł własne okrucieństwo. I samolubstwo. O Boże. Kim on w ogóle był? Drzwi wejściowe raptem się otworzyły. Molly zawołała go po imieniu. Postanowił schować się na werandzie.

A potem wyskoczyć, żeby sprawić niespodziankę. Coś tam przebudowali. Ich weranda była teraz werandą pani Kendall, która w dzieciństwie uczyła go grać na pianinie. Dzieci miałyby frajdę, gdyby brały lekcje pianina w tym samym pomieszczeniu, w którym on…

Halo? – powiedziała pani Kendall.

Miało to znaczyć: Jeszcze nie umieraj. Wielu z nas chce cię surowo osądzić na werandzie.

Halo, halo! – krzyknęła.

Ścieżką wokół stawu nadchodziła srebrnowłosa kobieta.

Musiał tylko zawołać.

Zawołał.

Aby utrzymać go przy życiu, zaczęła spiętrzać na nim różne rzeczy z życia wzięte, pachnące domem (płaszcze, swetry, ulewę kwiatów, kapelusz, skarpetki, tenisówki), po czym ze zdumiewającą siłą postawiła go na nogi i wprowadziła w drzewny labirynt, drzewną krainę czarów, w której z gałęzi zwisał lód. Miał na sobie całą górę ubrań. Był jak łóżko, na które rzucają płaszcze zaproszeni goście. Kobieta potrafiła rozwiązać każdy problem: gdzie stąpnąć, kiedy odpocząć. Miała siłę byka. Zwisał jej z biodra jak niemowlę. Objęła go oburącz w pasie i podniosła, gdy drogę przeciął korzeń.

Szli godzinami. Tak mu się przynajmniej zdawało. Kobieta śpiewała. Uspokajała. Syczała na niego, przypominając mu szturchańcami w czoło (w samo czoło!), że jej pieprzony synek siedzi w domu prawie zamarznięty, więc trzeba się sprężać.

Mój Boże, tyle miał do zrobienia. Gdyby mu się udało. Na pewno się uda. Ta kobita nie dopuści, żeby się nie udało. Będzie musiał postarać się wytłumaczyć Molly... wytłumaczyć, czemu to zrobił. *Bałem się, strasznie się bałem, Mol.* Może Molly zgodzi się nic nie mówić Tommy'emu ani Jodi. Lepiej niech nie wiedzą, że się bał. Niech nie wiedzą, jak się wygłupił. A, do diabła z tym! Niech wszyscy się dowiedzą! Zrobił to! Nie widział już innego wyjścia, więc zrobił to i kropka. On sam. Między innymi taki właśnie był. Nigdy więcej kłamstw, nigdy więcej milczenia, zacznie nowe, inne życie, pod warunkiem...

Szli przez boisko.

Oto nissan.

Pierwsze, co mu przyszło na myśl: Wsiąść, jechać do siebie.

O, nie, nigdzie pan nie pojedzie, rzekła z tym swoim przydymionym śmiechem i poprowadziła go do jakiegoś domu. Tuż przy parku. Widział go milion razy. A teraz był w środku: pachniało męskim potem, sosem spaghetti i starymi książkami. Jak w bibliotece, do której spoceni mężczyźni chodzą gotować makaron. Kobieta posadziła go przed piecem opalanym drewnem i przyniosła mu brązowy koc, pachnący lekami. Nie mówiła, tylko dyrygowała:

Pan to wypije, pan mi to da, pan się owinie, pańskie nazwisko, numer telefonu?

Coś takiego! Przed chwilą umierał w samych slipach na śniegu, a teraz to! Ciepło, kolory, poroża na ścianach, staroświecki telefon na korbkę jak z niemego filmu. To było coś. Cenna była każda sekunda. Nie umarł w śniegu nad stawem, rozebrany do bielizny. I chłopiec też przeżył. Eber nikogo nie zabił. Ha! Jakimś cudem zdołał wszystko odzyskać. Wszystko było teraz dobre, wszystko było...

Kobieta wyciągnęła rękę i dotknęła jego blizny.

Oj, aj, masz ci los! – powiedziała. – Chyba nie zrobił pan sobie tego tam w lesie?

Dopiero wtedy sobie przypomniał, że wciąż ma w głowie tę brązową plamkę.

O Boże, musiał jeszcze przez to wszystko przejść.

Czy jeszcze chciał? Czy wciąż chciał żyć?

Tak, tak, o Boże, tak, błagam.

No bo... dobra, rzecz w tym (nareszcie to widział, zaczynał widzieć), że jeżeli ktoś w końcu się rozsypuje i mówi czy robi coś złego albo potrzebuje pomocy, i to w niemałym stopniu? No to co? Co z tego? Niby czemu nie miałby robić ani mówić dziwacznych rzeczy albo wyglądać dziwnie, może wręcz odrażająco? Czemu nie miałby srać po nogach? Czemu ci, których kocha, nie mieliby go podnosić, zginać, karmić i podcierać, skoro chętnie zrobiłby dla nich to samo? Bał się, że umniejszy go to podnoszenie, zginanie, karmienie, podcieranie, i wcale nie przestał się tego bać, ale zarazem widział nareszcie, że mimo wszystko może wiele... wiele kropel dobroci (właśnie takie nasunęło mu się określenie), wiele kropel szczęścia... wspólnoty mieć jeszcze przed sobą, a te wspólne krople nie są i nigdy nie były jego własnością, żeby mógł ich kogoś pospawać.

Pozbawić.

Chłopiec wyszedł z kuchni, tonąc w jego obszernym płaszczu, a nogawki spodni od piżamy wlokły się za nim, kiedy tak człapał boso. Delikatnie ujął rozkrwawioną dłoń Ebera. Powiedział, że przeprasza. Żałuje, że w lesie zachował się jak skończony matoł. I że uciekł. Po prostu miał mętlik w głowie. Ze strachu i w ogóle.

Słuchaj – wychrypiał Eber. – Świetnie się spisałeś. Na medal. Przecież tu jestem. A komu to zawdzięczam?

O. Można było zrobić na przykład coś takiego. Może chłopiec lepiej się teraz czuł? Dzięki niemu? Był to zawsze jakiś powód. Żeby jeszcze trochę pobyć. Nie? Nikogo nie da się pocieszyć, jeżeli już się nie jest? Nieobecni figę mogą?

Kiedy Allen był bliski kresu, Eber wygłosił w szkole pogadankę o manatach. Siostra Eustace postawiła mu piątkę. Chociaż bywała ostra. W wypadku z kosiarką do trawy straciła dwa palce prawej dłoni i czasem straszyła nią jakieś dziecko, kiedy chciała je uciszyć.

Nie myślał o tym od lat.

Położyła mu tę dłoń na ramieniu, nie żeby go nastraszyć, tylko pochwalić. „To było znakomite. Wszyscy powinni tak poważnie podchodzić do pracy jak nasz Donald. Mam nadzieję, Donaldzie, że w domu powtórzysz to rodzicom". Wrócił ze szkoły i powtórzył mamie. A ona zaproponowała, żeby powtórzył Allenowi. Który był akurat tego dnia bardziej Allenem niż TYM. I Allen...

Ha, o rany, Allen. To dopiero był gość.

Łzy stanęły mu w oczach, gdy tak siedział przy piecu, w którym płonęły drwa.

Allen po... Allen powiedział, że to wspaniale. Zadał parę pytań. Wypytywał o manaty. Co one właściwie jedzą? I czy Don uważa, że potrafią skutecznie ze sobą się porozumiewać? Ile go to musiało kosztować wysiłku! W jego stanie. Czterdzieści minut o manatach? W tym własny wiersz Ebera? Sonet? O manacie?

Tak się wtedy cieszył z powrotu Allena.

Będę taki, jak on, pomyślał. Postaram się być jak on.

Głos w jego głowie był drżący, głuchy, nieprzekonany.

A potem: syreny.

Jakoś: Molly.

Usłyszał ją z sieni. Mol, Molly, patrzcie, ludzie. Zaraz po ślubie często się kłócili. Wygadywali obłędne rzeczy. Później były czasem łzy. Łzy w łóżku?

A potem zaczynali... Molly przyciskała gorącą, mokrą twarz do jego mokrej, gorącej twarzy. Przepraszali się wzajemnie całymi ciałami, przyjmowali z powrotem i to uczucie, to wrażenie, że jest się przyjmowanym z powrotem raz po raz, cudza tkliwość, która rozlewała się, ogarniając każdą nową skazę, jaka się w człowieku pojawiała, to była najgłębsza, najdroższa rzecz ze wszystkiego, czego mu w życiu...

Weszła wzburzona i skruszona, z lekko zagniewaną miną. Zawstydził ją. Widział to. Zawstydził ją, robiąc coś, co pokazało, że za mało dostrzegała, jak bardzo jest mu potrzebna. Zanadto była zajęta pielęgnowaniem go, żeby zauważyć jego strach. Miała mu za złe ten wyskok, ale wstydziła się, że ma mu za złe, kiedy on jest w potrzebie, i starała się zostawić za sobą własny wstyd i złość, żeby móc zrobić, co należy.

Miała to wszystko wypisane na twarzy. Tak dobrze ją znał.

I troskę.

Nad wszystkim w tej ślicznej twarzy brała górę troska.

Podeszła do niego, lekko się potknąwszy na wypuczonej podłodze w obcym domu.

Podziękowania

Chciałbym podziękować Fundacji MacArthura, Fundacji Guggenheima, Amerykańskiej Akademii Sztuki i Literatury oraz Uniwersytetowi Syracuse za hojne wsparcie podczas pisania tej książki.

Dziękuję także Esther Newberg, niezmordowanej przewodniczce i przyjaciółce, która od szesnastu lat daje mi bezcenne poczucie, że muszę tylko pisać najlepiej, jak potrafię, a ona zajmie się całą resztą, co też robi z niebywałą wnikliwością i energią.

Dziękuję Deborze Treisman za mistrzowską redakcję moich tekstów dla „New Yorkera", za wielkoduszność i grację, z jaką je redaguje, i niezmiennie wielki wpływ jej uwag na moją pracę.

Andy'emu Wardowi – za przyjaźń, mądre rady i wiarę we mnie, a także za to, że jego niezłomnie pozytywne spojrzenie na świat dobrze mi robi: zarówno w Dubaju, Afryce, Meksyku i Fresno, jak i podczas wspólnej pracy nad tą książką.

Caitlin i Alenie: przyglądając wam się od lat, uwierzyłem, że dobroć jest nie tylko możliwa, ale też stanowi przyrodzony nam stan.

Pauli: cokolwiek wartościowego zdziałałem przez ostatnie dwadzieścia pięć lat, powstało z twojego natchnienia i przy twojej bezinteresownej pomocy, przesycone twoją tkliwą dobrocią, radami i niezłomną wiarą. Stokrotne dzięki. Gdzieś w czasach młodości albo dzieciństwa musiałem widać spełnić jakiś sakramencko dobry uczynek.

Przekład: Michał Kłobukowski
Redakcja: Maja Lipowska-Wiktorowska
Korekta: Katarzyna Pawłowska, Magdalena Matuszewska

Projekt okładki i stron tytułowych: Krzysztof Rychter

Skład i łamanie: Plus 2 Witold Kuśmierczyk
Druk i oprawa: TZG Zapolex
Książkę wydrukowano na papierze Creamy 70 g/m², vol. 2.0
dostarczonym przez

ZiNG

Grupa Wydawnicza Foksal Sp. z o.o.
00-391 Warszawa, al. 3 Maja 12
tel./faks (22) 646 05 10, 828 98 08
biuro@gwfoksal.pl
www.gwfoksal.pl

ISBN 978-83-280-2742-8